I WANT TO BE SPOILED BY THE MARQUIS OF ICE!

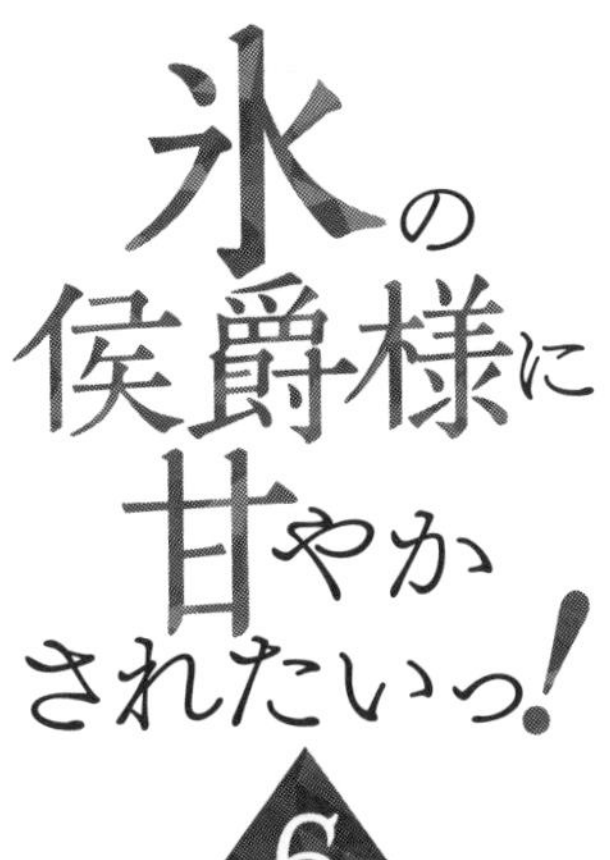

氷の侯爵様に甘やかされたいっ！

6

シリアス展開しかない幼女に転生してしまった私の奮闘記

もちだもちこ
MOCHIDAMOCHIKO

illustration
双葉はづき
HAZUKI

TOブックス

CONTENTS

CONTENTS

illustration 双葉はづき FUTABA HAZUKI
design ヴェイア Veia

人物紹介

CHARACTERS

メイアン

MEIAN

東の国を旅するユリアーナたちの手助けをしてくれる武士（?）。西のマシロ家の人間で、白虎に仕えている。

ランベルト

LAMBERT

「氷の侯爵」「フェルザー家の氷魔」などと世間で恐れられている。
血のつながり関係なくユリアーナを溺愛（暴走）している。

ユリアーナ

JULIANA

前世はアラサーのライトノベル作家で現在は美幼女。自作品の世界の不遇キャラに転生し苦戦……すると思いきや、ただ周りから甘やかされ困惑している。

ヨハン

JOHANN

フェルザー家の次期当主であり、ユリアーナの異父兄。
父と同じく妹を溺愛している。

オルフェウス

ORPHEUS

ユリアーナの前世にあるライトノベルの主人公。
冒険者として活動し、高い評価を受けている。
セバスを尊敬している。

ペンドラゴン

PENDRAGON

ユリアーナの魔法の師匠であり、高い能力を持つ宮廷魔法使い。
ランベルトとは旧知の仲。愛妻家で子煩悩。

セバス

SEBAS

フェルザー家の執事であり、影と呼ばれるセバス一族の長。
最近の悩みはランベルトの暴走を止められないこと。

ティア

CHRISTIA

ユリアーナの前世にあるライトノベルのヒロイン（候補）。
高い能力を持つ神官で、フルネーム「クリスティア」と呼ばれることを頑なに拒む。

これまでのおはなし

ライトノベル作家だった私、本田由梨（ほんだゆり）は、気づけば自分の書いた作品と似ている世界に転生していた。

よりによってシリアスな展開しかない不遇の魔法使い「ユリアーナ」という、無口美少女キャラクターに……。

そんな「不義の子」として愛されない子だったはずが、お父様とお兄様からは溺愛（できあい）され、お屋敷の人たちやイケオジな魔法の師匠からもとにかく可愛がられるという展開に。

シリアスな展開は過保護な人たちがフルボッコにするし、毎日元気でいるだけで褒められる存在（ようじょ）ユリアーナでいることに、だいぶ慣れてきたような気がする。

いや、こんなぬるま湯生活を送っていたらダメな大人になってしまう！

立て！　立つんだユリアーナ！

保護者抱っこ（おとうさまのきんにく）から、早く（文字通り）ひとり立ちするのだユリアーナ！

というわけで。

そんな愛されキャラのユリアーナ（中身はアラサー）である私だけれど、砂漠の国に行くはずが雪山に飛ばされてしまったり、ダンジョンを探索したり、竜族やエルフ族から褒められ讃えられ賞賛されたりと多忙な日々を送っている。

あっちで事件解決、こっちで陰謀を暴くなど大活躍（？）だったユリアーナは、そろそろゆっくりしたいなぁと思っていた。するとタイミング良く、砂漠の国の王様から思わぬ申し出を受けることに。

なんと、転生してからずっと興味を持っていた『東の国』に入国するための書状と、砂漠の国から「冒険者として」出国する許可をビアン国王から出してくれたのだ。

やったぜ王様！ イッケメーン！（お父様とお兄様とお師匠様とセバスさんとオルフェウス君の次くらいに）

あ、諸々の事務手続きはセバスさんが済ませてくれたよ。ありがとう。さすがセバスさん。さすセバに感謝。

そんなこんなで。

船に乗るために、お父様が幼い頃に住んでいた領地に行ったり。
その領地に世界樹が育っていたり。
お祖父様とお祖母様と遊んだり。
どうせならと大型船を造った上に、魔改造するお父様とお師匠様に驚いたり。

さらには、海の魔女と森の魔女に出会ったりなんだり……。

受難の相でも出ているのかというくらい、濃い旅をしてきたユリアーナと愉快な仲間たち。

いよいよ『東の国』に入国した……と思いきや、私たちの国で信仰しているものとは違う神様の眷属（けんぞく）と謁見（えっけん）し、思わぬ足止めをくらってしまう。

白虎（びゃっこ）の姿をした神の眷属に、私は「其方（そなた）が不安定であれば、世界が歪（ゆが）む」と言われてしまったのだ。

まさか『世界の理（ことわり）』に触れたり変えたり改めたりしたことで、私と世界が連動しているとは……と、軽く予想はしていたものの驚くユリアーナ。

そしてユリアーナが不安定だった大きな理由のひとつ、私（ゆり）が私（ユリアーナ）であることを受け入れるようにと諭（さと）されたのだった。

この謁見が原因で丸三日ほど寝込み、お父様が激怒して危うく白虎の氷像が作製されてしまうところだったのは笑い話にしたいところだが……。

「ベルとうさまに、ぜんせのこと、ちゃんといわないと」

お父様からの愛情を受けとめるだけで精一杯だったユリアーナは、そろそろ先に進むべきだと決意する。

果たしてユリアーナの過去（ぜんせ）は、お父様に受け入れてもらえるのか!?

幼女の肩にいながらも、この緊張感あふれる展開を見守るモモンガ（精霊王）さんは、おいしい木の実を一心不乱に頬張（ほおば）っているのであった。ポリポリ。

1　お屋敷から出られない幼女

丸三日寝込んだ事件……『東の国』の神の眷属である、白虎さんとの謁見から一週間経っている。

ところが、いまだにお父様からは旅の再開の許可が出ないし、マーサとエマの過保護が日々加速していくのをそろそろどうにかしたい。

部屋の中から自由に動けない私をよそに、モモンガさんはセバスさんに鍛えられているオルフェウス君と一緒に行動している。

驚くことに、ティアはお父さんがいる教会で過ごしていて「反抗期だった娘が素直になった！」とクリス神官からお礼の手紙をいただいたりした。……父親がこんな手紙を送っているとバレたらまた仲が悪くなりそうなので、ティアには内緒にしておこうと思う。

そうそう、私たちは『東の国』にいるということになっているから、ティアはセバスさんが精霊の移動で送っているよ。帰りもセバスさんが迎えに行くと言ったら、ティアの顔が真っ赤になっていたっけ。

つらつらと考えていると、マーサとエマが部屋に入ってきた。

「お嬢様、そろそろお昼寝のお時間ですよ」

「お昼寝が終わりましたら、ナディヤ奥様からいただいたお菓子をご用意いたしますね」

過保護ゆえの愛が嬉しくも少しだけ窮屈に感じる今日この頃、皆様いかがお過ごしですか？　私は一週間休んだので元気です。

そろそろ思いきり体を動かしたいので、マーサとエマにおねだりしてみましょう。

幼女のおねだりチャレンジ！　ファイッ！

「マーサ、おひるねより、おさんぽがしたい……」

「お散歩は朝にされてますから、これ以上は旦那様の許可がないとダメですよ」

「そうですよ！　冒険者としても活動されておりますし、お嬢様は働きすぎです！」

マーサに毛布で包まれ、エマからお小言をいただいてしまう。ぐぬぬ。

幼女のおねだりチャレンジ！　失敗！（今のところ全敗）

冒険者として働いているといっても、お父様たちにおんぶに抱っこ（文字通りの意味で）なんだけどなぁ。

護衛として頑張っているのは主にセバスさん、オルフェウス君、ティアだし。私のやっていることは……なんだろう……索敵くらい？

あっという間に寝かしつけられた私は、眠れないと思いながらもしっかりとお昼寝をして、お茶の時間ぴったりに目覚めてしまう。

そんなにたくさん眠れないと思っていたんだけど、毎回ちゃんとお昼寝しちゃうのなんでだろうぐぬぬ。

幼女だから？　いや、さすがにもう幼女から抜け出していると思う。

服のサイズに変化はみられないけれど、きっと成長している……はず。たぶん。

せめて外の空気だけでも吸いたいとマーサにおねだりして、エマにお茶セットを東屋（あずまや）に運んでもらう。

お屋敷に戻って驚いたのは、いつの間にか本邸の庭に東屋が増えている件。

様々な建築方法で建てられた東屋たちは、一体誰が使うのでしょうね。（遠い目）

今日のお菓子はお祖母様が「東の国」から取り寄せてくれた芋（いも）ようかん……のようなものだ。

和菓子って意外と紅茶にも合うよね。甘さと紅茶の香りがよきですなぁ。

「ユリアーナ、少しいいか？」

「おにいさま！」

ベッドから動けなかった時も、お兄様は学園から何度もお見舞いに来てくれた。

そして……。

「わふん！」

お兄様の足もとには、キラキラと金色に輝く毛並みの犬……じゃない、狼（おおかみ）の子がお座りしている。

かわいい。

「こんにちは。きょうも、げんきそうだね」

「わふぅん！」

最初、会った時は飛びついてきたけれど、すっかりいい子に「まて」ができるようになったんだね。えらいね。

飛びついてきたと同時にお父様の威圧が直撃していたから、ちょっとトラウマになりそうな教育的指導だったのかもしれないけれど……。

　お兄様の腕をすり抜けた身体能力は、さすが獣人族といったところかな。

　ちなみに、この子は獣人族の中でも希少種である黄金狼の子どもで、成人するまでは狼の姿で過ごすんだって。コロコロモフモフなぬいぐるみみたいな狼の子が、庭を走っている姿とか見ているだけで癒されるよ。

　この子の毛は金になるから、悪い人たちに狙われないようフェルザー家で保護することになったらしい。

　でも、親御さんがいる獣人族の居住区に帰らなくても大丈夫？　さみしくない？

　首を傾げる私の頭を、お兄様がため息を吐きながら撫でてくれる。

「普通の狼は群れで暮らすものだが、この種は己の主を決めることが独り立ちする条件なのだとか」

「あるじ？」

「こやつめ、私を主と決めたらしい」

「おにいさまが!?　すごいです!!」

　いつもお師匠様の息子さんと一緒にいるから、なんとなく将来はお兄様の仕事を手伝ってくれる人になるのかと思っていたけど、もしかしたらこの子もそうなるのかな？

「こやつに私の補佐は無理だろう。屋敷の中でおとなしくしているとは思えん」

「おにいさま、やさしい」

「べ、別に、優しくしているわけではない。一般論だ」

ちょっと頬を赤くしているお兄様が、ツンデレっぽくてかわいいと思ったり。

そして狼の子がお兄様の足に体をこすりつけているため、金色の毛がいっぱい付いている。

不思議なことに、この子を屋敷内の誰が触っても金色の毛は抜けない。ところがお兄様の服や部屋にたくさん抜け毛が落ちていて、毎日掃除しながら集めるのが大変らしい。

「キラキラしてるの、きれいだね」

「わふん！」

「集めたものをどうするのか、考えないとな……」

「くぅん……」

申し訳なさそうに耳が垂(た)れてしまった狼の子。見かねたお兄様が抱き上げて撫でてあげれば、すぐに尻尾を振って嬉しそうに「わふん！」と鳴いた。チョロかわいい。

「ああ、そうだ。父上から伝言で、ペンドラゴン殿を屋敷に呼んだから、体の状態を診てもらうようにとのことだ」

「もうだいじょうぶです！」

「そうだな。しかし、旅をするなら万全にしておかないと」

「……あい」

過保護なお父様によって、なかなか『東の国』の旅を再開できない。

でも……心配そうにしているお兄様の顔を見たら、わがままは言えないよね。

こうなったら、しっかりとお師匠様に健康だという太鼓判を捺してもらいますか！

2　お墨付きをもらいたい幼女

実のところ、『東の国』との貿易を進めるにあたって、お父様だけでなくお師匠様も忙しくしていたりする。

最初の計画では、港町でやり取りしている人たちと（政治的な意味で）仲良くなってから、ジワジワと『東の国』の偉い人たちと繋がる予定だったらしい。

ところが想定外の……海の魔女に呪われたメイアンさんの件を解決したことにより、彼の国の神の眷属と繋がることができた。

ゆえに、お父様は王様と今後どのようにして『東の国』と交流していくのか、何度も打ち合わせをしているからとても忙しいみたい。

そしてお師匠様は『東の国』から輸入する物に対し、良いか悪いかを判断する特殊な魔法陣を開発しているとのことだった。

前の世界でも輸入した動物や植物、商品についていた虫や土とかで生態系が乱れたりしたもんね。この世界では大丈夫かもしれないけど、お師匠様を筆頭に王宮にいる知識人たちは危機感をおぼえたようだ。

私が丸三日ほど寝ていた時に、一度来て診察してくれたらしい。寝ていたから挨拶できなかったので、今日来てもらえるのならお礼をしないとね。

「マーサ、エマ、おかしたくさんよういしてね」

「かしこまりました。お嬢様」

「ペンドラゴン様用の手土産を、料理長に用意させます」

お茶の時間に用意されたお菓子は芋ようかんと説明されたけど、なぜかモチモチ食感でおいしかった。

彼の国のお菓子に大満足な私は、紅茶を飲んで小さく息を吐く。

ちなみに、お兄様は伝言をした後すぐに獣人族の居住区へ向かってしまった。黄金狼の子の毛の処理（？）について相談しないといけないいんだって。

「みんな、いそがしそう……」

「おう、忙しいぞ」

低く心地よい声に顔を上げれば、少し垂れた目を細める虹色髪のイケオジ、宮廷魔法使いのペンドラゴン師匠がいた。

「おししょ！」

「誰も構ってくれないからって、不貞腐れているのか？」

「ちがいます！　もうげんきなのに、そとにでられなくて……」

「あー、まぁ、それはしょうがないだろうなぁ」

私が寝込んでいた丸三日ほど、お屋敷を中心に異常気象が発生していたそうな。

オルフェウス君とティアが言うには「まるで北の山にいるみたいだった」とのこと。

「……なんで、あんなにねちゃったのかな」

「それを調べるのが、師匠である俺の仕事ってやつだ」

「おねがいします。おししょ」

私が寝込んだ原因は、白虎さんとの謁見だと思う。その時に悪い感覚とか無かったと思うけど……。

庭からお屋敷内に移動した私たち。マーサが念のためセバスさんとオルフェウス君にも立ち会うよう呼んできてくれた。

うん。ちょっと怖いので、一緒にいてもらえると嬉しい。

「なぁ師匠、侯爵サマがいたほうがいいんじゃゃねぇ、ないですか？」

「旦那様が戻られるのは夕方です。できるだけ早く診察するように、とのことですから」

心配してくれるオルフェウス君に対するセバスさんの背後に「とにかく早くしろ」と圧をかけてくるお父様の幻が見えたような？　気のせい？

「きゅっ（心配せずとも、主のことは我が見ておるぞ）」

あらモモンガさん、お久しぶりですこと。

「きゅっきゅきゅきゅっ（我は遊んでいたわけではないぞっ！　情報を集めていたのだっ！）」

肩に乗ってきた毛玉に、ちょっとだけ拗ねてみせる。

だってお屋敷に戻ってからのモモンガさんは、朝早くに窓から自由に飛んでいって、夜遅くに部屋に戻ってくる生活だったし。

きゅーきゅー鳴いているモモンガさんの言い訳は後で聞くとして、今はお師匠様の診察を受けなければ。

お師匠様は魔力の流れだけではなく、人それぞれ違う魔力の質のようなものを「視る」ことができる。さらにそれをすべて記憶しているという変た……すごい人なのだ。

椅子に座った私をしばらく見ていたお師匠様は、何度も頷いてから「なるほど」と呟く。

「寝ていた時は魔力の流れが速かったが、今は落ち着いているな」

「だいじょうぶ？」

「いや、逆に落ち着きすぎているのが気になる。嬢ちゃん、ランベルトに会ったのはいつだ？」

「えーと……」

確か、今日の朝は会えなかったはずで……。

「旦那様とお嬢様は、二日ほど会えておりません」

「なるほどな」

時間の感覚が曖昧になっている私をセバスさんがフォローしてくれる。さすセバ。

それよりも、お父様と二日も会っていないのが驚きだ。今までは少しでも離れていると情緒不安定になっていたのに。

不思議に思っていると、お師匠様は真っ直ぐに私を見た。

「向こうの神の眷属に何をされたのかは分からないが、俺に言えなくてもランベルトには話しておけよ」

「おししょ……やさしい……」

「俺に話すのはランベルトの次でいいぞ」

「おししょ……ざんねん……」

「残念って言うな」

考えてみれば、お師匠様は出会った時から味方でいてくれた。お父様とお兄様以外で頼りになるのはお師匠様くらいだった。

「ありがと。おししょ」

「おう」


お師匠様からは、あと二日三日ほど私の魔力操作を見て、大丈夫そうなら旅を再開してもいいとのこと。とりあえず部屋から出る許可をもらえた私は、上機嫌でお父様の帰りを待つことにした。

忙しいお師匠様は、また来ると言って王宮へ行ったけど……育児もあるからほどほどにって感じです。私の診察もしてくれて感謝感謝です。

魔力が安定した原因で思い当たるのは、白虎さんと謁見した時に私（ユリアーナ）が私（ゆり）を受け入れるよう言われたことくらいだ。

安定させる何らかの力が、幼女の体を動かないよう「眠り」という症状で現れたのではないかと、お師匠様は言っていたけど……。

「きゅきゅっ（だから心配せずともよいと言ったであろうっ）」

そうかもしれないけど、モモンガさんの言葉だけじゃお父様は旅を再開する許可を出してくれないでしょ。

ところで情報集めをしていたって言っていたけど、何を調べていたの？

「きゅっきゅきゅっ（外で風の精霊たちから情報を集めていたのだ。彼の国のことを）」

彼の国って、『東の国』のことかな？

私も旅立つ前に書物などで調べたりしたけど、閉ざされた国の情報ってなかなか入ってこないみたい。

お父様なら何か知っているかも。でも、私に教えてくれる範囲の情報はビアン国の時より少なかった。というか、ほとんど無いに等しいものだったよ。

モモンガさんはどうして急に情報を集めようとしたのかしら？

「きゅっ……（実は、主が寝ている間に精霊界に行って『記憶乃柱（ログラィン）』を調べたのだが……）」

はぁ？？？　何やってんのモモンガさん？？？

3　大切な話をする少女

「ユリア！」

「ベルとうさま！　おかえりなしゃ……ふぐぅっ!?」

二日ぶりにお屋敷に帰ってきたお父様をお出迎えしたところ、久しぶりに噛(か)んだ。そして強く抱きしめられて息ががが。

「旦那様、お嬢様がつぶれてしまいます」

「すまないユリア。大丈夫か？」

「あい……」

セバスさんの声かけにより、私を抱きしめるお父様の腕(きんにく)から力が抜ける。

はふはふと呼吸を整えていると、マーサとエマが乱れた髪と服をササッと直してくれた。

「ペンドラゴンから報告を受けた。魔力の流れは心配ないと」

「あい。それで……」

お父様にちゃんと話さないと……。

「セバス、夕食後に時間をとる」

「かしこまりました」

「それでいいな？　ユリア」

「あい！」

お父様は不思議だ。

前にアケト叔父さんからビアン国の王族は「選ぶ」と聞いたけれど、私が選んだであろうお父様との繋がりは驚くほどに強い。

私がこうなりたいと願えば、伝える前にお父様が察してくれるのだから。

まさか……人を操るような、謎の力が動いているとかじゃないよね？

「たぶん、お嬢サマが考えているようなことじゃないと思う」

「ええ、お嬢様の表情は、とても豊かでございますから」

「ユリア、心配することはない」

後ろで控えていたオルフェウス君とセバスさんからツッコミが入り、最後は駄目押しとばかりにお父様からお言葉をいただいてしまった。

うわーん！　私って、そんなに顔に出ているのー!?

「さぁ、旦那様はお着替えされますから、お嬢様もお召替えをしましょう」

「久しぶりに夕食をご一緒されるのですから、お飾りも着けましょうね」

そう言ってお父様抱っこからマーサ抱っこへ移動させられた私は、おめかしするために自室へ連れていかれるのであった。

もうちょっとお父様を堪能したかったけど、後で時間もらえるって言ってたよね？　ね？

ハーフアップした髪は編み込まれ、薄い紫のドレスとアイスブルーのお飾りを着けられた私は、すっかり全身を私とお父様に合わせたカラーのコーディネートで食堂に入る。

ご本人を目の前にすると、さすがにちょっと恥ずかしい気持ちになっちゃう。

「ユリア、こちらへ」

「あい」

ぽてぽてと歩こうとした私を素早く膝抱っこするお父様。

これはもしや今夜は『お父様フルコース・スキンシップ・マシマシバージョン』になるのでは……!?（今考えた文言）

「……ユリア、緊張しているのか？」

何かを感じ取ったのか、お父様からの言葉に私は何と言ったらいいのか迷ってしまう。

食事の後に、私は私だった時の話をしようとしているのだから。

お父様のことは信頼も信用もしているんだけど……。

「……無理はしなくてもいい」

「だいじょうぶです！」

一度決めたことだから、甘えるわけにはいかない。

たとえお父様の膝抱っこプラス頭を撫でられていようとも。

久しぶりにお父様の「あーん」を堪能した私だけど、緊張のあまり少食だったのを心配したマーサとエマが、食後のお茶に焼き菓子をたくさん用意してくれた。

さすがに食後に焼き菓子は……と思ったら、フェルザー家の料理人が新作焼き菓子に力を入れているそうで、ふわふわのシフォンケーキのようなものが出てきた。

すごい。この世界では、まだ見たことがないお菓子だ。

「料理人もそうだが、これからのために屋敷の人間を増やした」

「ふわふわでおいしいです！」

「そうか」

ふわふわなスポンジに、ふわふわなクリームをつけて食べると幸せを感じるよね。

うまーっと緩んだ顔をしていた私は、セバスさんの咳ばらいで我に返る。さすがセバスさん。さすセバ。

「ベルとうさま、おはなしがあります」

「なんだ？」

何かを察したお父様は、マーサとエマに部屋から下がるように言ってくれる。

その間に私は手首にリボンを巻き付け、成長した姿でお父様と向き合うことにした。まだ幼女の姿だと上手く話せないから、しょうがないってことで。

「きゅっ（安心せよ。音が外に漏れぬよう、結界を張ったぞ）」

おや？　モモンガさんいつの間に？

モモンガさんの口まわりにナッツの欠片が付いているけど、結界を張ってくれるのはありがたい。

「それで？」

「あの……以前、精霊界で私の姿が変化したのをおぼえてますか？」

「うむ。美しい黒髪の『宵闇(よいやみ)の天使』のことなら、記憶している」

「よいやみ？　えっと、そうですね。黒髪の、です」

ちょっとよくわからない単語が出てきたけど、セバスさんがお茶をすすめてくれたのでひと口飲んでから続けることにする。

「その、黒髪の姿は、私の前にいた世界の……」

「なんだと？」

地を這(は)うような低い声を出すお父様。そして急速に部屋の中が冷え込んでいく流れに、一体どこにお父様が荒ぶるポイントがあったというのか。

「ベル父様、ふぇ、ふぇくちっ！」

「すまないユリア。続けてくれ」

慌ててお父様が魔力で室温を調整してくれたけど、このまま続きを話しても大丈夫なのかなぁ……。

じっとりとお父様を見れば、もう一度「すまない」と言ってくれる。

「ユリアが別の世界にいたということは、私やセバスがいないということだろう。誰がお前を守っていた？　まさか……恋人や伴侶(はんりょ)が？」

最後の部分を言った時に、テーブルに置いてある熱々のお茶が凍りついた瞬間、セバスさんが新しいティーカップを出して熱々のお茶を淹（い）れてくれる。さすセバ。

「え？　いや、私はずっと独りでした。それに危険なことはほとんどない世界だった……ので……」

「天使にとって安全な場所などないだろう。前の世界だけでなく、この世界でも魔力暴走などで辛い思いをさせてしまった。すまないユリア……」

「大丈夫ですよ！　今の私はとても幸せですから！」

　なぜ私を天使と呼ぶのか分からないけど、とにかくお父様にとって私がどの世界にいようが、何者であろうが関係ないというのは分かった気がする。

　その後、白虎さんとの謁見で前の世界での私（ゆり）を受け入れたことや、元の私（ユリアーナ）から「同じ」と言われたことなど、未（いま）だ謎の事もあるけど伝えてみた。

　きっと優秀なお父様なら、私には思い付かないような事が出てくるかもしれないからね。

　だがしかし。お父様の情緒を上下に振りまくる私の話は、部屋の中を何度も凍り付かせることとなり、ここにあるすべての家具をダメにしてしまった。

　もしかしてこれ、全部交換になっちゃう？　どどどどうしよう!!

　すごい迫力のある微笑みを浮かべるセバスさんに対し、どこ吹く風のお父様は「気にするな」と言って私を上機嫌で抱き上げる。

「つまり、辛いことがあったのはすべて過去のことで、今のユリアは幸せということだな？」

「は、はい！　もちろんです！」

「過去のことを知れたのは嬉しい。しかし、私にとっては今ここにユリアがいるということが一番大切なことだ」

「お父様……」

そう言ったお父様の後ろで、セバスさんもしっかりと頷いてくれる。

「お前が何者でも私の唯一はここにいるのだ。それは何があっても変わらない」

「ふぇっ……あ、ありがと、ございましゅ……」

私の腕に巻きつくリボンを優しく解いたお父様は、そのまま包み込むように抱きしめてくれる。

世界で、いや、宇宙で一番安全（りそうのきんにく）な場所は、ここにあったのだ。


はぁ……。よかったぁ……。

4　ちょっぴり嫉妬（しっと）する幼女

精神的に疲労がピークだったせいか、昼まで寝ていた私。

昨夜、話し終えてからしばらくして私は寝落ちしたらしい。そのまま添い寝してくれたお父様は早朝に王宮へ行ってしまった。ちょっと寂しい。

幼女とはいえ寝過ぎじゃなかろうか……なんて思っていたけれど、今回のは一世一代の告白みたいなものだ。かなり勇気を出してお父様に伝えたのだから、幼い体にけっこうな負荷がかかったと思っている。

　おかげで目覚めがすごくスッキリしているから、結果オーライだよね。

「顔色も、ようございますね」

「これなら散歩の時間を増やしてもよさそうですね」

　着替えを手伝ってくれるマーサと、お茶の用意をしてくれるエマも安心した様子。

　昨日の夜、お父様に話した後で大号泣したもんだから、マーサとエマが殺気立ってしまった。

　まさかマーサとエマが雇用主（おとうさま）と戦おうとするなんて……。二人の優しさが嬉しくて、さらに泣いてしまったのは申し訳ないと思っている。

　話し終えてからのモモンガさんは「ほら見たことか」って木の実をひたすら食べていたけど、いくらお父様を信頼している私でも、こればっかりは不安だったのだよ。

　あ、そうそう。

「おししょは？」

「ペンドラゴン様はお茶の時間に来られるそうです」

「どの東屋にご案内しますか？」

　髪を整えてくれるマーサに身をゆだねていた私は、エマの言葉にフワッと思い出す。

「ひがしのおみやげ！　おししょにわたさないと！」

「では昨日と同じく、東の様式でお茶をご用意しましょう」

お師匠様はいつもお腹を空かせているイメージだ。お茶の時間でも、お菓子は腹持ちのいいものを好む傾向にある。

ペンドラゴンご一家の食費が気になるところだ。

「きゅっ（主よ。少しでも心は軽くなったのではないか？）」

うん。そうだね。

そして毎度思うんだけど、モモンガさんのそれは本当に仮の姿なの？

「きゅっ（うむ。最近この姿が本体という疑惑が……って、そんなわけがなかろう！）」

おお、ベリーの実で口のまわりを真っ赤にしながらノリツッコミするとは、やりますねモモンガさん。

ところで私の前世とか諸々の事情があったから、モモンガさんが精霊界で『記憶乃柱（ログライン）』に触れた話の詳細を聞けてないんだけど……。

「きゅきゅっ（うむ。世界の知識が詰まっているあの場所であっても、彼の国の情報が得られなかったのだ）」

え？　なんで？

「きゅー（つまり、彼の国は『世界の理』の外にある国ということになる）」

モモンガさんからの衝撃情報については、誰にも言えていない。お師匠様には伝えてもいいかと思ったけれど、なんとなく言いづらいというか躊躇（ちゅうちょ）してしまうというか。

なので、伝えるかどうかは『東の国』で決めることにした。問題を棚上げしたとも言う。

午後になって、ボロボロの服を着たお師匠様がやって来た。

セバスさんは王宮にいるお父様に付き添っているから、今の私の側には首を傾げるオルフェウス君と呆れ顔のエマがいる。

お兄様も学園にいるし、今のお屋敷の主人は私なのだ。

「おしょ、きたない」

「そんなっ……泣いている赤子をいっぱいあやして、俺についてこようと暴れるから寝かしつけて、めちゃくちゃ頑張って来たのに⁉」

私の一言にショックを受けるお師匠様。

いや汚いでしょう。ローブに木の葉や泥が付いているし、全体的にボロボロで薄汚れているよ。

「鳥のオッサン……じゃない、ペンドラゴン殿。服は洗濯してもらって、その間に風呂でも入っておくのをすすめる、です」

「そうするか。庭園の端に新しい温泉施設もあるし、使わせてもらうよ」

「え？」

「え？　って、あれ？　ランベルトは何も言ってないのか？」

温泉施設の言葉に、私がオルフェウス君とエマを見る。二人とも「何のこと？」って感じの表情をしていて……いや、エマの顔色が悪いような気がする。

これはもしや、お師匠様が何かしらのやらかしをしたのでは？

オルフェウス君を見れば「ああ」と何でもないことのように頷いている。

「こっちに戻った時に、温室の近くに新しい建物があったな。毛玉と探検した時に見たぞ」

「えーっ⁉　いつの間に……」

護衛として、お屋敷内の変化は把握しておくのが常識とのこと。

私が寝込んでいたりお父様に告白（きゃっ！）したりしている間も、オルフェウス君もしっかりお仕事をしていたんだね。えらいね。すまんね。

そしてエマよりも顔色を真っ青にしているお師匠様よ。

「そ、そうだ！　嬢ちゃん、温室で水撒きしよう！　その流れで温泉施設を見つけたことにすればいいだろ！」

「おししょ、すぐバレるとおもう」

だって庭のほうから庭師さんたちの匂いがするもの。全部報告されちゃうと思うよ。

「嬢ちゃんを巻き込めば大丈夫だろ。よし！　そうと決まったらまずは風呂！　それから腹ごしらえだな！」

泥だらけになったローブをエマに預けたお師匠様は、意気揚々と庭園へ向かう。

やれやれと思いながら、私たちは先に東屋で待つことにして、ついでにお屋敷内で変わったことをオルフェウス君から報告してもらうことにしたよ。

まさかお屋敷に新しい施設が建っているなんて思わなかったからね……びっくりだよね……。

「建物に関しての大きな変化は、さっき言った新しい施設だな。あとは屋敷で働く人間に新顔が三人いた」

「え？　そうなの？」

「お嬢サマ付きは代わってないから気づけなかったんだろ。清掃と、事務と、警備に一人ずつって感じだ」

　寝込んでいたせいもあるけど、そもそもフェルザー家で働く人が増えるのは珍しいことだから「まさか新規雇用があるとは……」という感じ。

　オルフェウス君が言うには、セバスさんが束ねる『影』でもなく、昔から勤めているマーサの娘であるエマのような家族関係もないということだった。

　それはつまり、外部から雇（やと）ったということで。

「セバス師匠に聞いてみたら、侯爵サマが許したっていうから、たぶん大丈夫だと思うけど」

　ああ、それと……と、オルフェウス君は上を見上げる。

「ヨハン様の部屋に居候している毛玉もいるか」

「あのこ、すっかりおにいさまになついて、ずるいの」

　お兄様にくっついている金色毛玉こと黄金狼の子は、私にも尻尾を振って笑顔（？）を見せてくれていたけどさ。それはそれ、これはこれなのである！

「妬（や）くなよ。あのわんころ、ヨハン様よりも侯爵サマと会った時のほうが……なんつーか、懐くっていうよりも腹をみせて降伏したって感じだったぞ」

　つまりお兄様レベル以上に、お父様には懐いているってことか……ヤっちゃおうかな？

「変なこと考えるなよ？　アレはただの毛玉じゃなくて希少種だ」

「……わかってるもん」

「わかってないやつだろそれ。まぁ、それを侯爵サマに言ってやれよ。泣いて喜ぶと思うぞ」

そんな甘えんぼう駄々っ子な幼女になるのは、恥ずかしいので勘弁してください。

5　鍛えすぎもどうかと思う幼女

湯上がりたまご肌のお師匠様（ガウン姿）に、既視感をおぼえるのはなぜだろう。

よくよく考えたら、真名(まな)を使って呼び出した時にさんざん見ていたっけ。お師匠様の肌色シーンを……。

思い出して微妙な気持ちになっている私をお師匠様が不思議そうに見ているけど、口いっぱいに芋ようかんを頬張っているので残念イケオジまっしぐらである。

芋ようかんだけじゃなく、テーブルを彩るのは色とりどりの上生菓子だ。

「東のジョウナマガシが食えるなんて得した気分だ」

「とりのおくさまにも、おみやげにどうぞ」

「ありがとうな」

さすが博識のお師匠様。東の商品は流通していないのに……と感心していたところ、若い時に各

地を旅していたから知っていたみたい。

若い時って、お師匠様が竜族だった時のことかしら？

「俺は同族に番（つがい）がいなかったから、里を出て各地を旅しながら探していたんだ。うちの奥さんは希少種の箱入り娘だったから、見つけるまで苦労したんだ」

「おお、ろまんす！」

「未だに奥さんの実家には入れてもらえないけどなー」

「なんですと!?」

ぐーたらするのが大好きなお師匠様だけど、宮廷魔法使いだから高給取りだし、強いから奥さんもお子さんも絶対に守ってくれるスーパーイケオジなのに！

モヤモヤした気持ちになっていると、お師匠様は桃の形をしたお菓子を口に放り込んでほにゃりと笑う。

「大丈夫だ。奥さんは俺と番（つが）ったことで元々の種族よりも強くなれたから、あっちの家族も少しは感謝してくれているっぽいし」

「すこしじゃなくて、たくさんするべきです！」

「嬢ちゃん、ありがとうな」

笑顔で礼を言うお師匠様は、テーブルにあるお菓子をひょいひょいと口に放り込んでいく。甘いもの食べすぎて太らないの？　え？　魔力に変換されるから平気？　なにそのうらやま設定。

ここに並べている『東の国』のお菓子は、白虎さんがお見舞い品として毎日送ってくるものだ。

在庫は豊富にあるからお師匠様がたくさん食べても安心だよ。

あ、もちろんお師匠様に渡したものの中に、ちゃんと私が選んだお菓子も入れておいたよ。厳選したお店の芋ようかんと、栗ようかんも買ってきたのだ。ムフフ。

厳選したお菓子は輸入品ではないので、上生菓子と同じく甘さは控えめです。ムフフ。

私たちは『東の国』で白虎さんのお屋敷に滞在していることになっていて、セバスさんが一日一回精霊の移動で白虎さんからお菓子やら何やらをもらっているそうな。

醤油(しょうゆ)と味噌(みそ)もあるそうで、おすすめの店を紹介してもらうことになっている。多めに買って、お世話になったビアン国のミコちゃんに送ろうと思う。

「よし、魔力の流れは安定しているな。温室で魔力操作の確認をしよう」

「あい！」

ところで、お師匠様はガウン姿で行くのですか？

セバスさんに見られたら怒られそう……というか、エマが般若(はんにゃ)のような形相になっていたよ。怖いよ。

結局、洗って濡れている状態の服を持ってきてもらい、お師匠様が魔法でパパッと乾燥させてから移動しました。やれやれ。

久しぶりに入った温室は、庭師さんたちの活躍により、たくさんのハーブが育っていた。

あまりお世話していなくてゴメンナサイ。

「いえ、こちらこそ、お嬢様から教えていただいたハーブの御守りに助けられておりますので」

「においとか、だいじょうぶ？」

「はい。自然のものだからか業務に支障はありません」

案内役の庭師さんは、確かエマと仲良しの人だったよね？

「嬢ちゃん、庭いじり用の服を着ている……んだよな？」

「あい！」

エマとマーサが選んでくれたものだから、これは庭いじり用の服だと思います！

いつもよりフリルが少なめなので！

今の私に付いているのは、エマとオルフェウス君だ。王宮にいるお父様に付き添うセバスさんの代わりに、オルフェウス君はお屋敷内部の仕事を代行したり指示を出したりしているんだって。すごいね。成長いちじるしいね。

「じゃあ始めるぞー」

庭師さん監督のもと、お師匠様の指示で霧のような水をまいたり、土を耕(たがや)したり、火の魔力を使って室内の温度を少し上げてみたりした。

すごい。

今までの魔力操作は何だったんだというくらいに調節がしやすい。

例えるなら、十年以上使っていたパソコンを新しくした時みたいな感じかな。え？　わかりづらい？

そして何よりも、これまで集中するのに時間がかかっていた「魔力を見る」ことが、自然と出来るようになっていたのが嬉しい。

庭師さんたちは隠れるのがうまいから匂いで判断するのは変わらない。でも、その他の魔力で気配察知したり、お屋敷内で何が起きているのか探るのに重宝しているよ。ベッドから離れられない時もマーサとエマが何をしているのか予想して楽しかったし。

「最後に、風を使って葉についた水を落としてみようか」

「かぜをつかって、みずを……おとす！」

シュルッと指にまとわせた風の魔力をコネコネしてポーンと投げる。

すると薄い膜のようになった魔力が温室いっぱいに広がり、葉の上に付いた余計な水が散っていく。すごい！　すごいぞユリアーナ！

そういえば、今さらなんだけど魔法を発動させる時って何かの呪文が必要だったのかしら？

「感覚で魔力操作する俺や嬢ちゃんは、そのあたりを気にしすぎると魔力の流れが滞るぞ」

「なるほどー」

「魔力を使うときに長々と叫ぶやつもいるが、声に出す時は一緒に行動している人間に伝わるようにすることが多いな」

はっ！　つまり長々と叫ぶ人は……いや何でもないです。

私も魔力で何かする時には、しっかり声に出していこう！　おーっ！

「あ、嬢ちゃんは声に出てるぞ。さっきもコネコネしてポーンとか言ってたから」

「えっ⁉」

慌てて後ろにいるエマとオルフェウス君を見たら、二人とも笑顔で頷いているではないか。

うわぁ、恥ずかしい……。いや、幼女だから許される……はず……だよね？

「よし。魔力の流れも、魔法の発動も大丈夫みたいだな。温室の向こうの施設については忘れてくれ」

「あい！」

お師匠様がさっそく楽しんでいた温泉施設については忘れましたよ！

私に（たぶん）サプライズしようとしていたお父様の怒りで、お師匠様が凍ったら困るもんね！

おもに鳥の赤ちゃんのお世話方面でね！


温室から外に出ると、空から茶色の毛玉が落ちてきた……のを、オルフェウス君が片手でキャッチしてポイッと放り投げた。

精霊王（なかみ）の力でふわりと浮いたモモンガさんは、オルフェウス君にきゅーきゅーと鳴いて抗議している。

「きゅっ（何をするのだっ）」

「お前、いい加減に学べよ。お嬢サマに落ちてくるなって」

「きゅきゅっ（主に報告があるのだっ）」

「はいはい。ほらお嬢サマ、毛玉の話を聞いてやれよ」

浮きながらぷりぷり怒っているモモンガさんを、ひょいっとつまんで私に手渡すオルフェウス君。

言葉が通じないはずなのに、会話が成立しているのが面白い。

「なにかあったの？」

「きゅきゅっきゅきゅきゅっ（あの獣、我を馬鹿にしたのだっ！　許すまじっ！）」

「けもの？」

私の両手の中にいるモモンガさんをよくよく見ると、茶色の毛と一緒に金色の毛が交じっている。

そのキラキラした毛には見覚えがある。たぶん、お兄様の足もとにいた金色の毛玉から付いたものだろう。

「なにかあったの？」

「きゅきゅっ（あの獣、我を馬鹿にしおって！　勘弁ならぬ！）」

おお、モモンガさんがめちゃくちゃ怒ってらっしゃる。

詳しく聞いたところ、お散歩中のモモンガさんにいきなり飛びかかって、散々もてあそばれた（？）らしい。

あー、子犬ってこういう小さな動物とかオモチャが好きだよねー。

「きゅーっ！（我は精霊王であるぞーっ！）」

落ち着くように言いながらモモンガさんのモフモフな毛をモフモフしていると、足もとにモフモフした柔らかなものが押し付けられる。

目を向ければ金色の毛をした子狼で、エマが追い払おうとしているけどうまくいってない。

「いいよ、エマ、だいじょうぶだから」

「ですがお嬢様……」

今はお兄様が学園にいるから寂しいんだと思うよ。

毛を膨(ふく)らませて怒っているモモンガさんを撫でながら、さてどうしようと思っていたところ、ふわりと抱き上げられる。

「嬢ちゃん、この種族は子どもでも力が強い。危ないからこっちにいろ」

「おしょ」

「あー、足に泥がついちまってるぞ。護衛、こいつを捕獲しておけ」

「了解」

返事をしたオルフェウス君は、キラキラ子狼を一瞬で捕まえてしまう。エマがちょっと悔しそうだ。

「獣人族の身体能力は人間よりも数倍上だ。仕方ないだろ」

「もっと鍛えて精進(しょうじん)いたします……」

鍛えてエマがムキムキになったら少し困るので、今のままでいいよ。

ほら、向こうにチラッと見える庭師さんも、心配そうにこっちを見ているしさ……。

6　旅立ち前にバタバタする幼女

「獣人族といっても各々の種族特性が強く出るから、世話のかからない子もいれば、うちの娘や狼の子みたいな元気なのもいる。そういう子たちは人間の大人顔負けの力を持っているから、大人の獣人族や荒事に慣れている人間じゃないと押さえられないぞ」

「そりゃ荒事には慣れてるけど、言いかたってもんがあるだろが」

「くぅん……」

お師匠様に文句を言うオルフェウス君に、首根っこつかまれているキラキラ子狼は悲しげにひと鳴きした。

「きゅっ（そんな顔をしてもダメなのだっ）」

モモンガさんがプンスカ怒っているけれど、そんな顔ってどんな顔？

耳を伏せて、尻尾も下にダラリとしているから落ち込んでいるのだと思うけど、モモンガさんは別のところで判断しているような気がする。さすが毛玉仲間。

「きゅきゅっ（我は毛玉ではないっ）」

はいはい了解です。

こんな状態じゃ、お兄様が苦労するかもしれないと思いながらお屋敷に向かって（私はお師匠様抱っこで）歩いていると、玄関の前に馬車が止まっているのが見えた。

「ベルとうさま！」

お師匠様の腕をペシペシ叩いて抱っこを解除してもらった私は、そのままフワリと風をまとって走り出す。

おお、体が軽い！　軽いぞ！

慌てて肩にしがみつくモモンガさんに構うことなく、真っ直ぐにお父様のいる方向に飛んでいくと、そのいい匂いのする胸もとへと思いきりダイブした。

「おかえりなさい、ベルとうさま！」

「……ただいまユリア。今のは魔力操作か？」

「ふぇ？」

「よう、ランベルト。嬢ちゃんは魔力の流れが安定したせいか、魔力操作も無意識にできるみたいだな」

　体が軽くなったと思ったのは、無意識で魔力を使っていたせいみたいです。成長したから運動能力が高くなったわけじゃないみたいです。ぐぬぬ。

　嬉しそうに報告するお師匠様に、お父様は私を抱っこしたまま（文字通り）冷たい視線を向ける。

「ペンドラゴン……貴様、喋(しゃべ)ったな？」

「いやいや！　逆になんで言ってないんだよ！　かなり前から俺も魔法陣で協力してただろ⁉」

　サプライズ企画だったらしい温泉施設について、秒でバレたお師匠様。

　そもそも庭には二羽……じゃない、庭師さんたちがいるんだし、彼らのお仕事は情報を得てお父様に報告することだもんね。

　でも、サプライズしようという気持ちだけでも嬉しいし、獣人族の居住地にあった温泉を気に入っていた私のためにお師匠様も頑張ってくれたのだ。許してあげてほしい。

　そんな気持ちを込めて上目遣いでお父様を見上げる私。

「……ユリアのおかげで命拾いしたな」

「そこまで⁉」

物騒な言葉で締めるお父様に、驚くお師匠様。

大丈夫ですよ。本気で命のやりとりをしようなんて思っていないはずですから。たぶん……ちょっとだけ？

「くぅーん」

私たちの間を流れる微妙な空気を中断したのは、悲しげな子狼の鳴き声だった。

自由にしたら暴れて大変なことになるからと、いまだオルフェウス君が首根っこを掴(つか)んだままの状態だ。

「それは？」

「飼い主(ヨハン)が不在で暴れていたんだ。子どもだからしょうがないけど、嬢ちゃんに寄って行ったから護衛くんに捕まえてもらった」

「ほう……」

その瞬間、先ほどのお師匠様への冷たい視線どころじゃない、明確な殺気がお父様から発せられた……のだと思う。

エマが青ざめているし、オルフェウスくんは顔色はそのままだけど表情がなくなっていたからね。

不思議なことに私は平気。お父様の冷たい空気も慣れてきたのは、愛のなせるワザだと思っているよ。ムフフ。

ところでお父様の殺気を一身に受けた子狼は、かわいそうなくらいに震えている。

殺気が放たれてから床に置かれた子狼は、逃げればいいのにオルフェウス君の足に体をくっつけたまま動かない。そして尻尾は股の間に入り込んだまま出てこない模様。

お父様が子狼に一歩近づけば、秒で仰向（あおむ）けになってお腹を見せている。

これは信頼しているからというよりも、服従のポーズだと思う。それも恐怖からのやつ。

「おいおいランベルト、かわいそうに冷や汗をかいているぞ」

「ユリアに近づく男は、容赦しない」

男？　とオルフェウス君を見れば真顔で頷いている。

モフモフしているから、いい感じに隠れているんだよね。お父様ったら、めったに獣人族は他種族と番わないって知っているはずなのに……。

あ、お師匠様の例もあるか。元竜族と獣人（とりさん）族だもんね。

「ベルとうさま、それよりも、にわのおふろ！」

「む？　ああ、ユリアのために森から温泉の湯を魔法陣で取り寄せた。その熱を温室に利用している」

「すごいです！　ベルとうさま！」

温泉の熱を利用するなんて、さすがすぎますお父様！　さす父！

どうでもいいけれど「さす父」って、なにやら胸部を讃えているみたいな気持ちになるね。そりゃお父様の大胸筋は讃えられるべき存在ではあるけれども。

ご機嫌な様子で庭へ向かうお父様に抱っこされながら、こっそりオルフェウス君に目で合図して、キラキラ子狼を避難させることに成功する。

お兄様を慕(した)っているのは分かるけど、ここの主はお父様だ。

希少種族の子だからといって、このお屋敷で好き勝手するのは許されないのだよ。

わんぱく盛りを縛り付けるのもかわいそうだし、森へ帰ったほうがいいんじゃないかなぁ……。

「くぅーん」

うん。かわいそかわいいね。

モフモフに罪はないから、このあたりの判断はお兄様に任せることにしよう。

「ヨハンに任せておけば心配ないだろう」

「あい！」

お父様に認められている、お兄様が少し羨(うらや)ましい。

私も早く大きくなって自立しないと……！


その後も魔力操作の練習は続き、旅を再開する許可をもらえたのはそれから三日後のことだった。

出発前に、お兄様におねだりされて海の魔女(セイレーン)と対決した時の歌を歌ったり、私とお兄様がねだってお父様にリュートを弾いてもらったり、ついでにお師匠様とお父様のセッションを聴かせてもらったりした。

旅立ちの前夜にティアが合流したから、ちょっと恥ずかしいけど私の歌った映像も見てもらえたよ。なぜか顔を青ざめさせていたけど、大丈夫かな？　ティアパパと仲直りできたって聞いていたけど……？

そんな心配をあれこれしながら、ようやく私たちは『東の国』へ戻れたのでした。やれやれ……。

◇とある宮廷魔法使いは弟子の才能に驚愕（きょうがく）する

王宮で日々の雑務をこなしていると、目の前に冷たい風と共に友人のランベルトが現れた。

部屋に今は俺しかいなかったから良かったものの、部下がいたら危なかったぞ？　精霊を使った移動なんて、どう説明すりゃいいんだよ。勘弁してくれ。

「すぐ来い」

「緊急なのは分かるが、もう少し説明とかをだな……」

「今すぐに、だ」

静かな圧力を感じた瞬間、部屋に誰も入らないよう魔法で結界を展開する。ドアの向こうにある伝言用の板に「立入禁止」の文字を、親切にも魔力を飛ばして焼き付けておいた。

最近、不在にしていると部下たちがうるさいんだよな。前は何も言わなかったくせに……たまにランベルトの仕事が回ってくることもあるし……って、コイツのせいじゃないか。

宮廷魔法使いの中でも、元竜族である俺は普通の人間よりも高い能力をもっている。

そんな宮廷魔法使いの俺でも、魔法陣なしで転移は出来ない。

公にされてはいないが、ランベルトは精霊と契約しており、精霊界という場を中継することで距離など関係なく一瞬で移動することができる。

まったく……文官のくせに騎士並みに戦えるし、王宮にいる魔法使いよりも魔力が多いし、精霊とも契約しているとか……一体こいつはどこへ向かっているんだ？

元竜族の俺よりも強いとか、人間の枠を超えているのでは？

そんなランベルトが精霊の扉を開くと、向こう側にあるのはフェルザー家の一室だった。まったく焦っているようには見えない無表情のままのランベルトだが、俺には分かる。

ランベルトの体内で魔力の流れが凄まじく速い。幼い子であれば魔力暴走を疑うくらいだ。

「嬢ちゃんに何かあったか？」

「……ユリアが目覚めない」

「は？　どういうことだ？」

ランベルトからの説明を聞いても理解ができない。

いや、嬢ちゃんが『東の国』の神の眷属と謁見したところまでは理解できた。

ただその、ランベルトの言う「ユリアはユリアであり、ユリア以外の何者でもない」が分からないだけだ。

ランベルトの発言をすべて理解するのは置いておくとして、嬢ちゃんが目覚めないのは以前『世界の理』に触れていた影響かもしれない。

とりあえず診察しようと嬢ちゃんの部屋に入れば、そこは驚くくらいに静かな空気が流れていた。

眠っている嬢ちゃんの表情は穏やかで、ランベルトが俺を呼び出す理由が分からなかった。

「そろそろ丸二日になる。何度呼びかけても起きない」

「二日？　それは長いなぁ……魔力は安定しているけど、少し馴染(なじ)んでいないように見える」

「馴染む、とは？」

「これまで嬢ちゃんの魔力は不安定だった。ランベルトの近くにいる時は比較的安定していたが、少しでも離れるといつ魔力が暴走してもおかしくなかった。俺が抑えていたから何とかなっていたんだ」

嬢ちゃんには俺の真名を教えている。俺を真名で呼び出すことは、同時に嬢ちゃんの魔力を調整することでもあった。

最近は暴走することは少なくなったし、成長すれば自然と治るだろうとは思っていたが、まさかの展開だな。

「このままで大丈夫なのか？」

「不安定だった魔力が安定したことで、体を強制的に休ませている状態になっている。もうすぐ起きると思うぞ」

「本当だな？」

「お前、いちいち圧が強いんだよ。食事は出来ないが、嬢ちゃんは無意識の状態ながらも魔力で補おうとしている。あと数日は平気だろう」

普通の人間なら衰弱するから、起きたとしても数日は動けなくなるだろう。規格外の魔力を持っている嬢ちゃんだから、俺も大丈夫だと言い切れるのだ。

ランベルトは少し安心したのか、いつ嬢ちゃんが起きても良いよう執事に食事の指示などをしている。甘味は控えめにしておけよ……。

目覚めた後の嬢ちゃんは、俺や俺の師匠並みの魔力操作の腕を持っていた。

細やかなところは俺のほうが技術を持っているけど、持続力は嬢ちゃんのほうがあると思う。

うっかりランベルトが秘密にしている「庭園の温泉施設」のことをバラしてしまったが、なんとかなったと思う。たぶん。

数日ほど嬢ちゃんの診察をして、これなら大丈夫だろうと旅立ちの許可を出すことにした。

「しばらくフェルザー家の茶と菓子をもらえなくなるなぁ」

「おみやげ、たくさんかってきます！」

「ありがとうな」

庭園の東屋で嬢ちゃん（と侍女と執事）とティータイムを満喫していると、神官の娘が姿を見せる。

嬢ちゃんから聞いた話では、父親を苦手としているってことだったが……反抗期ってやつか？

もし俺がうちの娘に嫌われたら王宮に大魔法を放ちまくる未来が見えるし、ランベルトだって王宮を氷漬けにするだろうな。

なぜ王宮なのかというと、アーサーならなんとかしてくれそうな気がするからだが。

俺たちの友情をアーサーが知ったら喜び（？）のあまり号泣するかもな。本当にやってやろうかな。

「ユリちゃん、お久しぶりです」

「ティア、ひさしぶりー」

「ペンドラゴン様は……ユリちゃんの診察ですか？」

「おう。嬢ちゃんの魔力は安定しているから、旅の続きもできるぞ」

「そうなんですね！　よかったですね、ユリちゃん！」

「あい！」

そう。ここまでは良かった。

嬢ちゃんの兄であるヨハンが帰ってきて、海の魔女と対決した話をするまでは。

「父上、ユリアーナが歌で魔女と対決をしたのですか？」

「うむ」

なぜか自慢げに頷くランベルトに、ヨハンは落ち込んだ様子だ。まったくこの親子は……。

「ご安心くださいヨハン坊っちゃま。その時の様子は魔道具に記録してあります」

「そうか。さすがセバスだ」

ああ、この流れが嬢ちゃんの言う「さすセバ」ってやつなんだな。

記録されていることを知って恥ずかしがる嬢ちゃんに、魔女の情報を集めていた俺もその対決とやらを見たかったと思った。

「ユリア。せっかくだから皆に歌を聴かせてはどうだ？」

「ふぇっ!?」

その瞬間、テーブルに茶が数滴落ちる。フェルザー家の執事にしては珍しいミスだと思っていたら、神官の娘と黒髪の護衛も顔色が悪い。

そしてなぜか俺も、昔ランベルトと本気の戦いをした時、命の危険を感じたことを思い出していた。

まさか……これは「恐怖」か？　元竜族である俺が、恐怖をおぼえている……だと？

俺は一体、何に対して感じているんだ……。


この後の記憶はほとんどない。

生命の危機を感じた俺が、自分と屋敷の人間たちに結界を施したところまでは覚えている。

神官の娘は祈りの姿勢をとっていたし、黒髪の護衛は片膝をつきながらも不敵な笑いを浮かべていた。言わずもがな執事も自分の身くらい守れただろう。

そして、気づけばランベルトとヨハンは号泣していた。

「父上、ユリアーナの才能は素晴らしいですね！」

「うむ。天使のような愛らしい歌声だった」

何が起こったのか分からない。

ただひとつ理解できたのは、フェルザー家は色々な意味で「すごい」という事だった。

呆然とする俺の前に、少しだけ前髪が乱れているフェルザー家の執事が現れる。

「ペンドラゴン様、屋敷内に夕食とは別の軽食をご用意しております」

「……ありがとうな」

号泣する親子と恥ずかしそうな笑顔の幼女はほっといていいだろう。今は魔力が尽きた俺の栄養補給が最優先だ。

数分前まで、王都を壊滅させられるくらいの魔法を放てるほど満タンだった俺が、まさかここまで疲弊させられるとは……。

魔力といい歌声といい、嬢ちゃんの才能には驚かされてばかりだな。ハハハ……。

7　尻尾を膨らませる白虎を見る少女

ようやく『東の国』の旅を再開することになった私たちは、白虎さんの館に戻ってきた。

移動はセバスさんの精霊にお任せだった。やっぱり便利だなぁと感心していたら、何かを察したモモンガさんにきゅーきゅーと文句を言われてしまう。

だって便利そうだし。青い狸のような猫型ロボットが出すアイテムみたいだし。

「きゅっ（これくらいのこと、我が元の姿になれば容易いのだっ）」

そう言われましても、元の姿になったモモンガさんは勇者のために精霊王として顕現するんでしょ？　まだ魔王が生まれていないのに『世界の理』に反することをやったらダメだと思う。

それに……モモンガさんは好き勝手に精霊界を行ったり来たりするし、北の山の雪を大量に移動させたりしてるのに、なぜ人間を移動させることができないのか謎すぎる。

「きゅきゅっ（人と物は違うのだっ）」

「はいはい。わかりましたー」

「きゅーっ（それは分かっておらぬ時の返事であろうっ）」

怒ってきゅーきゅー鳴くモモンガさんの口に、テーブルに置いてあった豆菓子を数個詰め込んでやる。

砂糖がまぶしてある、高級そうなお菓子だよ。きっとおいしいよ。

セバスさんが丁寧にも、割り振られていた部屋に送り届けてくれたから、今の私と一緒にいるのはモモンガさんだけだ。

そうそう、あの時は謁見後すぐに寝ていたので知らなかったけど、白虎さんは滞在用の部屋を用意してくれていたのだよ。お見舞いの品を送ってくれたこといい、意外と白虎さんは気遣いのできる人（？）だったみたい。

気にしていると悪いから、挨拶した時に元気だよアピールしないとね。

お父様とセバスさんは隣の部屋で、ティアは巡礼神官用の「祈りの間」付きの部屋にいるそうな。

『東の国』は独自の神様を信仰しているのに、他国の神様を祈る場所があるとか大丈夫なのかしら？　おもてなし的な感じ？

オルフェウス君は護衛用の待機部屋にいる。異変があればすぐに来れる仕掛けがあるそうだから、後で見せてもらおう。

「あ、いけない。くつをぬがないと……」

お屋敷内から直接来たので靴は汚れてないけど、なんとなく気分がね。

白虎さんの館の客室は外の国の人たちが使うことが多いみたいで、畳になっている寝室にはローベッドタイプが置かれている。寝相が悪くてベッドから落ちても痛くないよ。

「ユリア」

「ベルとうさま！」

廊下へ続くドアではなく、部屋の奥のほうからお父様の声が聞こえてくる。これはまさか……。

それっぽいドアを開けると、先ほど別れたばかりのお父様とセバスさんがいた。

「おへや、つづいてた？」

「獣にしては気がきくようだな」

お父様の白虎さんへの好感度が低い件。

丸三日くらい眠ってしまったのは白虎さんだけのせいじゃないし、私も魔力操作が楽になったから嬉しかったよ？

お父様に抱っこされた私は、セバスさんが呼びかけることで現れたオルフェウス君とティアと一緒に部屋を出る。

いや、ちょっと待って。二人ともどこから湧いて出てきたの？

「俺は壁から」

「私は天井からです」

「どゆこと!?」

オルフェウス君のいた護衛用の部屋は、仕掛けのある壁の向こうにあったよ。なるほど壁や天井から要人の部屋に来れるのね。

この仕掛けだらけの部屋にわくわくしていたら、オルフェウス君が忍者みたいな登場を見せてくれたので何度もやってもらっちゃった。

そして、この部屋の上の部屋にいたティアは、床にある仕掛けから来たとのこと。

巡礼神官は体力勝負だって聞いてるけど、アクティブすぎやしませんか……？

「では、この国に滞在する許可を取るためにあの獣……神の眷属に声をかけるか」

「旦那様、廊下に人の気配が」

「誰だ？」

「メイアン様かと」

「通せ」

お父様、白虎さんの時とメイアンさんに対しての対応が違う件。メイアンさんのことは気に入っているような気がする。

「大事なもののために生きているようだからな」

なるほど。

確かにメイアンさんは、奥様のためならたとえ火の中海の底って感じだもんね。

「お久しぶりでござる。ユーリ殿は体調を崩されたようでござるが……？」

メイアンさんの視線を受けた私は、素早く腕に魔法陣入りの布を巻き付ける。そしてお父様抱っ

こから抜け出し、ひらりと優雅に着地した。（その間〇・五秒）

「お久しぶりです！　もう元気です！」

「そ、そのようでござるな……？」

深く突っ込まないメイアンさんの神（侍（さむらい））対応に甘え、私たちは白虎さんのいる部屋へと向かう。

前は豪華な扉だったけど、今回は漆（うるし）塗りの廊下を渡って、シンプルな造りの和室に通される。

青い畳の色はしているけれどイグサの匂いはしない。異世界の畳だからかな？

前の謁見の時みたいに豪華じゃないけど、寝そべると四畳（じょう）くらい幅を取る白虎さんがいても大丈夫なくらい広い部屋だ。例えるなら、舞台のない旅館の宴会場って感じかな。

『よくぞ来た……いやごめんなさい！　妾（わらわ）、寒がりだから冷気は勘弁してください！』

「ベルと……閣下（かっか）、私は大丈夫です」

「しかしユーリ……」

「大丈夫です。これから色々と融通してもらいますから」

「さすがだ。ユーリ」

この国にしかないお菓子とか、着物とか、とかとか。

私の言わんとすることが分かったのか、お父様の冷気（いかり）は静まったようだ。

『うう、先日は迷惑をかけてごめんなさいぃ……』

すっかり（比喩（ひゆ）ではなく）小さくなってしまった白虎さんは、子白虎モードのまま項垂（うなだ）れている。

大丈夫ですよ。怒ってないですよ。私は……だけど。

でも白虎さんのせいだけじゃないと思うんだよね。私がちゃんとしてなかった感じもなきにしもあらずだし。

なぜなら、この世界に転生してからひたすら甘やかされてばかりだったからね。

今やもう無いにも等しい原作のユリアーナは、幼い頃から魔法についてストイックに学んでいた。

だから甘えっぱなしだった私に対し、その付けが回って来たのではなかろうか。

『妾の見立てだと、不安定だった魔力の原因は其方（ユリアーナ）が其方（ゆり）を否定したからと思われるが……もう安定したようで、何よりだ』

周りに人がいるからか、私にしか分からないように話を進めてくれる白虎さん。なかなかのお気遣いですね。

私の魔力の流れについては、お師匠様からも太鼓判を捺されたからね。もう大丈夫……だと思うよ。

さて、本題に入ろうか。

「白虎様、この国の滞在許可が下りたそうですね」

『うむ。妾の権限で可能な部分は許可しておる。詳しいことは部下に聞いてほしい。妾はしばらく神の下で仕事があるから、滞在許可証はメイアンから受け取るがよい』

白虎さんはそう言ってメイアンさんに丸投げすると、慌ただしく風と共に消えていった。

「……逃げたか」

「すまぬな。宮様も悪い人（？）ではないのでござるが」

眉間にシワが寄るお父様に対し、苦笑するメイアンさんが懐から取り出したのは、どこかの神社で見たことのある首から下げる木札だった。

木札には達筆な文字で『白虎』と書かれている。

「ユーリ殿の木札はモモンガ殿も含まれているでござる。これがあれば白虎ノ宮様の治める町と青竜ノ宮様の治める東の町に入れるでござるよ」

「なるほど。町を出入りするには、そこを治めている眷属から木札をもらう必要があるということか」

「その通りでござる」

木札を集めると、その種類によって割引価格で買い物できたり、高級な旅館で泊まれたりするらしい。持っているだけで『東の国』の神様から加護をもらえるようだ。

加護を受けるなんて、ラノベっぽい設定の香りがしますなぁ。

8 旅の目的をハッキリさせる少女

「な、何これーっ⁉」

鏡に向かって叫んだ私は、同じく驚くオルフェウス君とティアを見て、さらに驚きの連鎖を起こしている。

ユリアーナのふんわりとした蜂蜜(はちみつ)色の髪にあるのは、同じ毛色をした三角の耳。

お尻もムズムズするので、たぶん尻尾もあるのだろう。

「無事に加護を授けられたでござるな。これで一時的に我が国の民となれたでござる」

朗(ほが)らかに笑っているメイアンさんの頭は、髪と同じ焦茶色の丸い耳が付いている。

熊の耳とのこと。ムキムキの身体によくお似合いですな。あはは。

「オルフェウス殿は黒豹(ひょう)、ティア殿はロップイヤーラビットでござるか。なかなか戦闘能力の高い加護を得ましたな」

なんと『東の国』の神は、自国民に動物の能力を加護で与えているらしい。

もしやケモ耳スキーなのか？　そうなのだな？　フレンズなのだな？（やけくそ）

「ん？　ティアも戦闘能力が高いの？」

「そりゃあ、ロップイヤーラビットといえば、その後ろ足で大型魔獣を一撃で倒すと言われているからな」

当たり前のように言うオルフェウス君。豊富な知識を持っているのは、さすが高ランク冒険者ってところだね。

お屋敷の庭で、たまにロップイヤーラビットを見かけていたけど……まさか、あの愛らしいふくふくのウサギが強者枠だった件。

鏡を見ながら、困ったようにローズピンク色の耳を押さえているティアは可愛らしくて、守ってあげたいという感想しか出てこないのがすごい。

そして黒い耳をヒョコヒョコ器用に動かすオルフェウス君は黒豹って、似合いすぎだね。ちゃちゃっとズボンから尻尾を出しているけど、それどうやったの？

「冒険者用の服は、だいたい獣人も着れるようになっているんだ。まさか俺が使うとは思わなかったけどな……」

えー、私のはどうしようと思っていたら、セバスさんが新しい服を用意してくれているよ。後で着替えよう。ぐぬぬ。

「メイアン殿、ユーリの動物は猫か？」

「そうでござるなぁ……見たところ、毛並みが柔らかいようでござるから、子猫でござろうな」

「なるほど。よく似合っている」

さもありなんって頷いているお父様はさて置き。

いやいやちょっと待ってくださいよ。私のは子猫の加護ってこと？　子猫って何ができるの？　戦える？

「子猫は子猫でござる。よく食べて、よく寝て、皆に可愛がられる小さな存在でござるよ」

な、な、なんですとーっ⁉

幸いなことに、魔女に子猫にされた時とは違い、魔法は使えるみたい。

あー、よかったー。私のアイデンティティーが「愛でられる」のみになるところだったー。

驚いたり落ち込んだりしていた私はふと気づく。そしてオルフェウス君とティアが、お父様とセバスさんをガン見している。考えていることは一緒だろう。

「なぁ、侯爵サマと師匠は、なんで加護が付かねぇ、のですか？」

代表としてオルフェウス君が発した質問に私とティアが頷いていると、メイアンさんが「ふむ」

と目を細める。

「加護は受けられているようでござるが、元々神ではない存在からの加護があったのでござろうな」

あ、もしかして精霊かな？

メイアンさんが言うには、神様の加護は重ねてかけられるから状態として現れるけど、精霊や聖霊のような神様じゃない存在の加護がある時はこうなるらしい。

えー、お父様とセバスさんの動物を見たかったよー。そしてお兄様も見れないってことか。ちょっと残念。

「神も加護を重ねてかけられないようにすりゃいいのにな」

「何を言っているのですか。むしろそれを強みとして、最大限に生かすのが私（セバス）の弟子でしょう？」

「師匠っ……すんません。そうっすね。加護だろうが何だろうが、何でも使って強くなります」

ちょっと落ち込んだように見えたオルフェウス君だけど、セバスさんがあっという間にモチベーションを上げてしまった。さすがすぎる。さすセバ。

冒険者であるオルフェウス君なら、加護がありすぎて損はないもんね。

魔力が少ないデメリットもあるけれど、神の加護はそれを上回る流れをつくり出すからね。

……ん？　何か引っかかる感じがするけど、私、何か忘れている……？

「我が国の神については、町を案内がてら説明するでござるよ。仕事もあるので、今日だけになってしまうが……」

「構わん。あとはこちらで何とかする」

「いやいや、外交で来られた賓客に対し、そうはいかないでござる。明日から拙者の代わりを寄越すでござるよ」

うむ。かたじけないでござる……って言いそうになったよ！

気を抜いたら、ござる言葉がうつりそうで困るでござる。

獣人族用の服に着替えた私と愉快な仲間たちは、さっそく観光へと繰り出す。

外に出ると、またあのフンドシ軍団が現れるのかとヒヤヒヤしたけど、町の移動はデンシャがいいと言われた。

この国にあるデンシャとは大きなトロッコのようなもので、前の世界での電車とは違う。

観光も外交の仕事だというお父様の言葉に乗っかったのもあるけれど、せっかく滞在許可を出してもらったから良い品物を見つけたい。そしてあわよくば仕入れてほしいという、私の物欲が火を吹いたのだ。

それにね。どうしても気になったことがあって。

「我が国の神の名、でござるか？」

「はい」

「愛称などを含めるといくつかあるでござるが、拙者が知る限り『ヒガシノカミ』『ケモミミシジョウシュギ』『スズキイチロウ』などでござろうか」

おい！　やっぱりケモ耳大好きっ子じゃないか、じゃなくて！

スズキイチロウって、鈴木一郎⁉　やっぱり私と同じ日本人なの⁉

「その神とは会えるものなのか？」

「四つの宮様から許可を得れば会えるでござるよ。白虎ノ宮様の許可はあるから、あと三つでござるな」

「そうか。ならばもらいに行こうか」

「えっ⁉」

あっさりと方針を決めてしまうお父様を、思わず見上げてしまう。

「ユーリは会いたいのだろう。外交の件もあるし、神でありながら王のような存在に会えるのであれば話が早い」

「ベル……閣下、ありがとうございます！」

私が神様に興味を持っていることに、お父様は気付いたのだろう。対応に困ることもあるけど、今回の甘やかしは正直ありがたかった。

よし！

謎に包まれた『東の国』をしっかり観光して、国を統治している神様とやらを拝んでやろうじゃないか！

えい！　えい！　やーっ！

9　ゆったり観光する少女

私たちが滞在している町は『東の国』の西に位置していて、国の玄関にもなるマシロ町という。

前世で旅行に行ったことがある京の都のように東西南北と町がある。各方角に神の眷属がいて、それに連なる家の人間たちが治めているんだって。


西の眷属は白虎ノ宮で、マシロ家。

東の眷属は青竜ノ宮で、セイラン家。

南の眷属は朱雀(すざく)ノ宮で、シュリ家。

北の眷属は玄武(げんぶ)ノ宮で、リョクレイ家。


そうそう。メイアンさんの名前は「マシロ・メイアン・オキツグ」だから、マシロ家の人だったんだね。

白虎さん直属の部下だから予想できることだったのに、すっかり抜けていて新鮮に驚いてしまったよ。えへへ。

そんなメイアンさんの案内で、私たちは現在マシロの町を観光している。

建物は和風ファンタジーといった感じだ。朱色の柱が並び黒い瓦屋根という、前世の神社のような建物が並んで提灯がたくさん下がっている。今は昼だから、夜に灯っている景色を見てみたいなぁと思う。

町の中を縦横無尽に走っているデンシャは『式』と呼ばれる馬のような存在がいて、屋根のない馬車を引いている感じだった。ただし車輪はない。

「輿の男たちの足と同じく、決められた道を通るかぎりデンシャは浮くようになっているでござるよ」

「輿……」

思い出すのはフンドシ一丁のむくつけき男……いや、漢たちだ。確かすごい速さだった記憶がある。

「アレ、追いつくのが大変だった」

「歩いたり走ったりじゃなくて、滑るように移動していましたね」

オルフェウス君とティアは走ってついてきてくれたんだっけ。オルフェウス君は息切れしてなかったからさすオルだと思ったけど、セバスさんは気づけばお父様の近くに控えていたから、やっぱりさすセバかな。

「エキで待っていればデンシャが停まるでござる。滞在許可証を持っていれば無料で利用できるでござるよ」

「すごい技術ですね！」

まるでげっ歯類キャラのテーマパークのアレみたいだ。ますますここの神様が日本人疑惑が出てくるなぁ。

いや、日本大好きな外国の人という可能性もあるか。

「観光ついでに、我が家に招待したいのでござるが……」

「閣下、どうしましょう？」

「かまわん」

私が視線を送っただけで、あっさり頷くお父様。

白虎さんの住処も面白かったけど、メイアンさんの家も見てみたかったんだよね。あと奥様が「お礼を言いたい」って気にしていたみたいで、病み上がりの人を呼び出すよりはこっちから行ったほうが良いと思ったのもある。

メイアンさんの御自宅に伺うことになった私たちは、初めてのデンシャに戸惑いながらも各々木製の長椅子に座った。

レトロな雰囲気の車内では他の乗客も静かに座っていて、ほとんどの人が目を閉じている。私は前世の「日本の電車」で慣れているけど、オルフェウス君が「瞑想(めいそう)の修行でもしてんのか？」なんて見当違いなことを言っているのが面白い。

「そういえば、そちらの国では四季がないそうでござるな」

「四季……とは、ここ『東の国』にある特殊な気候のことか？」

「さようでござる。今はちょうど秋で、これから冬に向けて寒くなるでござる」

メイアンさんの問いにスラスラ答える博識のお父様。

するとティアとオルフェウス君も会話に交ざってきた。

「一年で暑くなったり寒くなったり、服装などの変更が大変そうですね」

「暑いのはなんとなくわかるけど、寒いっていうのはどれくらいなんだ？」

「場所によって多少は違うでござるが、雪が積もって『デンシャ』が動かなくなるくらいでござるよ」

ここ『東の国』には四季があって、一年の間に暑い時季と寒い時季がやってくる。

私たちの国は場所によって常春（とこはる）だったり極寒の地だったりで、ほとんど気候の変動がないんだよね。だから旅立つ前の勉強で、オルフェウス君とティアは四季の話に驚いていたっけ。知識にはあっても、実際体験すると不思議な感覚なんだろうな。

どうでもいいけどメイアンさんが言う冬の表現は、なんとなく前世でよく話題になった東京都心の雪事情を思い起こさせる。

「ユリ……娘がここの食事を好いている。農作物の種などを持ち帰りたいのだが」

「ふーむ。そちらで我が国の作物を育てようとした者がいたのでござるが、うまくいかなかったという報告を受けているでござるよ」

「そうか……」

お父様が私のために農業にまで手を出そうとしている件。

大丈夫ですよ、お父様。この国に足を踏（ふ）み入れたからには精霊の力で……って、モモンガさんは人間を移動させることができなかったんだ！　結局お父様たち頼みじゃないかぐぬぬ！

それにしても、どっちの国にも小麦があるのに、『東の国』の作物は何が違うのか他の国では育たないらしい。

ビアン国で見た男性用下着を染めた植物性の染料とかも……って、あれ？

「モモンガさんは？」

「んー？　毛玉なら、あの建物に向かって飛んでいったぞ」

今日はオルフェウス君の頭を定位置にしていたモモンガさんが、気づけば居なくなっていた。

オルフェウス君が指さす方向には、古いお城のような建物がある。

「モモンガさん、古い建物に興味があったのかな？　それともお城がいいとか？」

「あの建物は城ではなく、犯罪者を入れておく監獄でござるよ」

「えっ⁉」

なぜモモンガさんが犯罪者に興味を……？

「とはいえ、今は観光客相手に使っている建物でござる。絶対に脱獄できない監獄として有名だったのでござるが、脱獄者が出て無人島に移転したのでござる」

「無人島に監獄……」

「移送は船ではなく空から囚人を落とすでござるよ。こちら側から上手いこと飛ばして、現地に届けるのでござる」

「飛ばして届ける……」

新しい監獄島については、出ることを想定して建てられたものじゃないということを把握した。

昔は拷問(ごうもん)死もあったというから、もしかしたら命があるだけマシなのかもしれない。

監獄島の場所は秘匿(ひとく)されていて、白虎さん直属の部下の立場にあるメイアンさんも知らないとのこと。神様しか知らないから、罪を犯した人には天罰が落ちるという認識なのだそう。

悪人を神様が一手に裁くなんて、ここのトップ（神様？）が優しいのか怖いのかよくわからなくなってきたよ……。

10　狭い場所が落ち着く少女

「きゅきゅっ（主！　この豆菓子、うまいぞ！）」

「モモンガさん、そのお菓子はどこから……？」

デンシャに揺られる私たちが元監獄だった建物の前を通ったところで、開いている窓から茶色い毛玉が飛び込んできた。

そしてどこから取り出したのか、豆菓子の入っているであろう紙袋を大量に渡してくるモモンガさん。

どうしようかと思ったらセバスさんとオルフェウス君が器用に受け止めてくれたよ。さすが師弟コンビ。

私はというと、びっくりしたせいか自分に付いている子猫の尻尾がブワッと膨らんでしまったよ。

他の人たちのケモ耳や尻尾に変化はないのに、なぜ私だけ？　子猫だから？

「おお、これは監獄名物の菓子でござるな。脱獄した鬼のような男を、たまたま煎（い）っていた熱い豆をぶつけて退治したという逸話（いつわ）からきた豆菓子でござる」

「きゅっ（たくさん買ってきたのだ！）」

どこかで聞いたことがあるような昔話を教えてくれるメイアンさん。鬼が脱獄したとか、昔話の悪役キャラを使うとは……やはり『東の国』には日本人がいるのだろう。

ところでモモンガさんは、どうやって買い物したの？

「きゅきゅっ（こつこつ貯めていたお小遣いで買ったのだ）」

いや、そうじゃなくてですね。

するとセバスさんが「建物の前に、無人の販売所がありましたよ」と教えてくれた。危うく買い物をする謎の毛玉が現れた、怪奇現象だと騒ぎになるところだった。よかったよかった。

ちなみに、お小遣いはお父様とセバスさんからもらっていたとのこと。精霊界で取り寄せた精霊石とか、世界樹のからみとかでモモンガさんは活躍していた対価として支払いしていたんだって。

なんということでしょう。本来、モモンガさんの仮の主である私が対価を考えなきゃいけなかったのに……。

お父様とセバスさんのおかげで、危うく大嫌いな「善意という名を使った無償で仕事させようとするクライアント」になるところだった。

「きゅきゅっ（気にするな。主からは魔力をもらっておるし、フェルザー家のことは氷の管轄（かんかつ）だ）」

「そうだ。ユーリは毛玉のことよりも、穏やかに暮らすことを考えていればいい。もっと我儘（わがまま）でもいい」

モモンガさんはともかく、お父様の言葉の後半部分はダメだと思いますよ。

「ところで『オニ』というのは何だ？」

「我が国では悪いものの象徴であり、神と同列にされることもあるのでござる」

私に豆菓子を「あーん」するお父様は、メイアンさんにアレコレと質問をしている。事前に色々と予習しているとはいえ、現地の人から話を聞くのは取材……じゃない、外交の基本だよね。そして今の私は幼女ではないのですが……まぁいいか。メイアンさんもスルーしてくれているし。

鬼といえば、前世でも昔話に登場していた悪役だったり、小説や漫画などの題材にも使われていたっけ。

「悪い神もいるのか？　この国の神はひとつだと聞いているが」

「この国に限っては、ひとつ神を信仰しているでござるよ。しかし、国を安定させるため、神も人と関わる以上は善の部分だけではなく、悪である必要もあったのでござろうな」

「……それは誰の言葉だ？」

「無論、我が妻の言葉でござるよ」


見るからに暮らしやすそうな、こぢんまりとしたメイアンさんのお屋敷は、前世ワンルームで生活していた私にとって癒される空間となっていた。

「セバス」

「庭園にある温泉施設の近くに離れを建てる計画がございますので、参考にさせていただきましょう」

「うむ」

うむ、じゃないですよ。フェルザー家の土地に色々と建てることに反対はしませんが、私のためという流れを気軽に進めないでお父様。落ち着いてくださいお父様。

「ユーリ様、計画では本邸より豪華な別邸が建てられる予定でしたので……」

そうだったのですかセバスさん。ぜひメイアンさんのお宅を参考にしてくださいセバスさん。さすセバ。

メイアンさんの立場だと使用人を雇うのは義務とのことで、数人ほど出迎えてくれた。実際はもっと雇っているらしく、ここにいない人たちは白虎さんの館で待機していて、メイアンさんの仕事の手伝いをしているんだって。

偉くなると人をたくさん雇用しないといけないんだね。お父様みたいに。

体調が回復したというメイアンさんの奥様は応接室にいると、メイアンさん自ら案内してくれる。

全員しっかりと靴を脱いだよ。靴はセバスさんが預かってくれているよ。

艶（つや）やかな木の板の廊下を歩きながら、中から見える小さな庭園にワビサビを感じていると、トタタタッと軽い足音が聞こえてきた。

「旦那様！　おかえりなさいませ！」

「アサヨ、お客様の前でござる。落ち着くでござるよ」

「申し訳ございませぬ。お客様にお会いできるのが嬉しくて、待ちきれなかったのです」

そう言って微笑む黒髪の美女……いや、美少女？　メイアンさんを旦那様と呼んでいるから、奥様……だよね？

長い黒髪は複雑に結われ、ぱっちりとした黒い目は小動物を思わせる。小さな茶色い耳とフサフサとした大きな尻尾がふわっと動いていて、たぶんこれは……栗鼠（りす）かな？

「いつもは落ち着いているのでござるが、加護の影響で楽しいことがあると体が勝手に動いてしまうのでござるよ」

「お気になさらず！」

私に向かって困ったように微笑むメイアンさんに、私は笑顔で返す。

幼く見える奥様は、きっと「日本人あるある」だろう。中学生くらいに見えるけど、実際はもう少し上なのかもしれない。

「まだ妻は成人しておらぬが、『制約の符』を受けることで白虎ノ宮様が特別に同居を許してくれたのでござる」

「えっ？　ということは……」

「初めまして、お客様。メイアンの妻、アサヨにございます。今年で十になりました」

「十歳っ⁉」

やぁ、昨今の若者は体の成長が早いですなぁ……なんて、言っている場合ではない。

何ということでしょう。成長の魔法陣を身につけている私よりも大人っぽいアサヨちゃん……。

「我が国は十四で成人となるでござるよ」

「はぁ……そうですか……」

外見と年齢と諸々のショックを受けていた私は、気づくと応接室でお茶を飲んでいたよ。どうやら時をかけてしまったようですな。ハハハ。

出されたのは緑茶と煎餅(せんべい)、そしてどら焼きだ。

わぁい、どら焼き嬉しいなーっ！　おいしいなーっ！（現実逃避）

「メイアンと私を助けていただき、本当にありがとうございました」

「改めて、拙者からも礼を申す」

「私のほうから足を運ばねばなりませんのに、旦那様が過保護で……申し訳ございません」

「いえいえ、過保護になるのはしょうがないというか、身に覚えがありすぎるというか……とにかく回復されてよかったです！」

「はい！」

今、座っているのは私とお父様で、セバスさんとオルフェウス君は立っている。

あれ？　ティアはどこ？

「きゅっ（あの神官なら、祈りの場所に通されていたぞ）」

それは大丈夫なの？

「きゅきゅっ（我の見立てだと、ここは神と交信しやすいようだ）」

メイアンさんの人柄もあるだろうけど、ここは落ち着くなぁって思っていたのには理由があるのかもね。あとでティアに詳しく聞いてみよう。

そして豆菓子を食べすぎたのか、めずらしくお茶菓子に反応しないモモンガさん。私の膝の上で丸くなって眠ってしまった。やっぱり毛玉にしか見えないよモモンガさん……。

11　兄の秘密を知った少女

今日はぜひ泊まってほしいという、アサヨさん（かわいい）のおねだりに（私とメイアンさんが）絆(ほだ)され、本日はメイアン邸でお世話になることになった。

夕食までは部屋でゆっくりしてほしいとご夫婦に案内されたのは、襖(ふすま)で仕切れる大きな部屋だった。

さらに嬉しいことに、畳を替えたばかりなのかすごくいい香りがするね。くんかくんか。

「個室にするよりは、このほうがユーリ殿が安心するだろうとアサヨの提案でござる。他の部屋が良ければ……」

「ここがいいです！　ありがとうメイアンさん、アサヨさん！」

「ふふ、ようございました」

アサヨさんの栗鼠の尻尾(これ)が揺れているのが愛らしい。私の尻尾を見たら同じように揺れていて驚く。自然と動くのね、尻尾。

魔力が安定したとはいえ、幼女の情緒はまだまだ不安定でございまして。

個室よりも大部屋にすることでお父様の近くにいたいだなんて、甘えているのは自覚しているので、もう少しだけご猶予(ゆうよ)ください。

「白虎ノ宮様の通達で、フェルザー侯爵閣下が視察に来られている事は知られております。しかし万が一、閣下に仇(あだ)なす者らが現れた時は……」

「対処は？」

「生死は問いませぬ。そのような民はおらぬと思いますが」

「そうか」

成人前とは思えないアサヨさんの物言いに驚いていると、メイアンさんが少しだけ自慢げに教えてくれる。

「アサヨは記憶持ちでござるからな」

「それは……前世ということですか？」

「うむ。我が国ではよくあることでござる。アサヨが拙者を選び、拙者がアサヨを受け入れたのも、前の世からの繋がりがあるからでござる」

すごいことを知ってしまった。ここ『東の国』は輪廻(りんね)転生が普通にあると認識されているのか。

外の国では知られていないことだと思うんだけど……。

「ここでは当たり前のことでござるが、外の人々には馴染(なじ)みがないようで、信じてもらえないのでござるよ」

「旦那様！　部屋で寛(くつろ)いでもらうのですから、立ち話させるなんて失礼ですよ！」

「おお、すまないでござる。ゆっくりするでござるよ」

「貴重なお話、ありがとうございます」

笑顔の二人が去っていくと、お父様は私の腕から布を取り、置いてある座椅子に膝抱っこ状態で座った。

「ベルとうさま？」

「私がしたかったことだ。ユリア」

ちょっとだけ甘えたいと思っていたのがバレていたらしい。お父様の言葉と太股（ふともも）にありがたく乗っかり、しばらくお膝抱っこを堪能させてもらう。

「侯爵サマ、まわりには人の気配は無いぜ、です」

「そうか」

オルフェウス君は加護のおかげか、五感の強化と身体能力の強化が得られたそうだ。

加護を受けた直後、セバスさんと軽く鍛錬（たんれん）しているのを見た時、動きがまったく見えなかった。

私ですか？　私は子猫だから、子猫分の強化をしたと思いますにゃーん。（自棄（やけ））

「さて、情報を整理する。神官には……セバス」

「伝えておきます」

「うむ」

畳の部屋は立っていると落ち着かないから、お茶を用意したセバスさんはお父様の後ろに座って控えている。

立て膝をついているので、何かあればすぐに動ける状態っぽいよ。さすセバ。

オルフェウス君は、お父様の命令で座っている。どこで知ったのか、ちゃんと下座なのがすごいよ。さすオルだよ。

「先ほどの話もそうだが、この国は独自の文化がある。それは島国だからという理由だけではなさそうだ」

「町の中でも、閣下たちの外見に驚く人もいたようだが、忌避感はないみたいだった、です」

「特に私とセバスは加護が外見に無いからな。メイアン殿の奥方の心配も、起こりうることであろうが……」

オルフェウス君だけじゃない。私も冒険者としてお父様の近くにいるから、ちゃんと魔力で探査していたよ。

でも、殺気どころか悪い感情も感知できなかったんだよね。

王国やビアン国では多くの悪い感情を感知していた。人が集まる場所では色々な感情があるのが普通なのだ。

「ティアが言ってたけど、他の場所は神の声が聞こえづらく、特定の場所では聞こえすぎるって話、でした」

「こちらに危険がないなら構わん。何かあれば精霊の移動を使えばいい。セバス」

「お任せください」

他の場所では制限していたけど、この国では自重せず使っていいってことか。

私も魔力の出し惜しみをするつもりはない。モモンガさんにも協力してもらおうと思う。

モモンガさん、すっかり熟睡しているけど……冬眠？

「きゅっ……（主、我はすごく眠いのだ……）」

いや、私はナントカラッシュの飼い主ではないので。名作アニメっぽい言動はやめてもろて。


夕食の時間になる少し前に、ティアは戻ってきた。

「存分に『祈り（バルクアップ）』ができたので、しばらくは大丈夫だと思います！」

「そ、そう。よかったね、ティア」

私はお父様の膝抱っこから立ち上がり、腕に布を巻いて冒険者ユーリモードになる。

気のせいかもしれないけど、ティアの言葉の中に筋肉を感じさせる何かがあったような……？

「神々からは『東の国』にはいくつか神域があるが、それ以外は干渉できないとのことでした」

「ティアの『祈り』もダメなの？」

「いえ、私を含む高位の神官であれば『祈り』は届きます。ですが『神託（しんたく）』は神域に限り使えるとのことです」

「そうなんだ……」

「私はあまり『神託』を使わないので不便ではないのですが、ここは不思議な国ですね」

ティアの話に何か思うところがあるのか、お父様が私の頭を撫でてくれる。

大丈夫ですよ。不安は感じておりませんので。

セバスさんからの申し送りも（ティアの顔は真っ赤になっていたけど）無事に終わり、いざ夕食へ。

使用人の（鳥っぽい羽が背中に付いていた）女性の案内で、宴会場のような部屋に通された。もしかしたら違う役割の部屋かもしれないけど、奥に小さな舞台があるからね。宴会場ってことでいいよね。

「部屋は大丈夫でござったか？　休めたでござるか？」

「うむ。気遣いに感謝する」

おお！　珍しくお父様がデレた！

思わずお父様を見上げると、お父様が「休めただろう？」とアイコンタクトを送ってきたよ。

もしや私ですか。私が落ち着いて休めたからお礼を言われたのですか。

ぐぬぬ嬉しいけどちょっと恥ずかしいやつぐぬぬ！

頬が熱くなる私を、アサヨさんが慈愛に満ちた笑みを浮かべて見ているよ。

そうだよね。記憶があるのなら、心は大人のはずだものね。あっ、痛い。自分で投げたブーメランが自分に刺さって痛い。

マシロ家が管轄するのは海の幸が多いけど、不足している肉類や穀物は他家から流通があるらしく、オルフェウス君には男子好みの肉料理が出ていた。

セバスさんの食事は別だけど、私を含む護衛のオルフェウス君とティアも一緒に食事することが許されたよ。やったね！

私は量少なめで色々な料理。お父様は私と同じものが量多めに。ティアには美肌効果もあるという鍋が付いていたけど、あらあら綺麗（きれい）になるのは誰のためかしらフフフって感じだ。

ちなみに前世の私はコラーゲン鍋を苦手としていた。あの冷たくなった時、プルプルした感じになるのが無理で。

今世（ユリアーナ）の私は食べることができるけど、フェルザー家ではあまり出てこない。

お父様は薬以外の苦いものは食べるし、誰か苦手な人がいるのかな？

「ヨハンが……な」

なんということでしょう！　前世の私とお兄様は気が合いそうですね！

メイアンさん宅の夕食の内容は「和洋折衷（せっちゅう）な懐石料理を一斉に出しました」という感じでした。

お出汁をきかせた優しい味で、大満足でしたよ。

「セバス」

「やはり味付けでしょうか。フェルザー家の料理長に学ばせます」

「うむ」

うむ、じゃなくてー!!

料理長さんごめんなさい！　でも、この味をお屋敷で食べることができたら嬉しいです！　これからもお世話になりますっ！

12　求めていた食材に歓喜する少女

お日様の匂いがする、ふかふかなお布団で熟睡した翌日。

朝食の席に遅れてきたメイアンさんは、困り果てた表情をしていた。

「大変不躾な願いとなってしまうのでござるが……」

「いけません旦那様！　命の恩人様に、これ以上ご迷惑をおかけするなんて！」

「しかしでござるなぁ……」

すました表情のお父様のご様子から、メイアンさんが困っている事情を知っているようですな。

オルフェウス君とティアは首を傾げているので、私も一緒に傾げてみようと思います。

「ユーリ、首をおかしくするぞ」

「う？」

少女モードだから、そうそう危ないことはないと思いますよ。お父様。

それよりもメイアンさんの困り事は、だいたいにおいて「誰かのため」であることが多い気がする。内容くらい聞きたいですお父様。

「……何が起きた？」

「申し訳ござらん。朝一番に宮様……白虎ノ宮様が来訪されましてな。厄介なことになったと泣きついて……いや、仰られたのでござるよ」

「そうか。ユーリ」

「はい、閣下」

「お前が決めることを許す」

え？　いいんですか？

私はメイアンさんの筋肉……じゃない、人柄を好んでいるので、困っているなら白虎さんの話を聞いてもいいと思いますよ。

「そうか。ならばそうしよう」

「え？　どういうことでござるか？」

「ユーリ様が決めるのでございますか？」

話の決着はついているけれど、私とお父様の謎繋がりで会話をしているため、メイアンさんとアサヨさんには伝わっていない。

でもユリアーナの愉快な仲間たちは全員把握しているよ。慣れだと思うけど。

「新鮮な反応だな。俺も最初は驚いたけど」

「ユーリちゃんの表情は豊かなので理解はできますけど、最初は言葉にしていないのになぜ？　って思いました」

「慣れだよな」

「慣れですね」

やっぱり慣れだった！

ちなみに、セバスさんは言わずもがなプロフェッショナルですからね。さすセバ。プロセバ。

「えっと、閣下は私に決めるよう仰られたので、大丈夫です。困っているならお話を聞きますよ」

「ありがたい！　宮様に伝えてくるでござる！」

「申し訳ございません。ユーリ様」

バタバタと部屋を出ていくメイアンさんを見て、アサヨさんは苦笑している。

本当にアサヨさんは大人っぽいなぁ。

記憶持ち仲間なのに、なぜか身も心も幼女み溢(あふ)れる私としては羨ましいかぎり。ぐぬぬ。

朝食は白米、お味噌汁、鮭のような焼き魚と玉子焼き。

そして……すごい！　納豆があるよ！

「こ、これは何でしょう？」

「この豆、腐(くさ)ってやがる……!!」

戸惑うティアとオルフェウス君。この食材に関して、初見だと皆あるあるなリアクションをしちゃうよね。

そりゃ『東の国』には醤油も味噌もある。日本人が絡んでいて、なおかつ納豆好きだったらあってもおかしくはないはずだ。

ビアン国で箸(はし)の使い方をマスターしているとはいえ、納豆に関してはどうだろう……とお父様を見れば平然と食べている。あれー？

しかも、まったく糸を引かせることなく、美しく優雅な所作で食してらっしゃいますよ。一体どんな食べ方をしているのだろう。

さすがフェルザー家当主ですね！　隙がないです！

「以前、アーサーが取り寄せたからと王宮に呼ばれ、食したことがあるものと同じだな。風邪などをひきづらくなると聞いた」

「そ、そうなんデスか」

「わ、わぁ……すごい食べ物ですねぇ……」

「我が家の朝食で欠かせないものなので一応お出ししましたが、ご無理なら下げさせますよ」

アサヨさんの気遣いはありがたい。が、しかし。

私は！　納豆が！　大好きなのだ！（ばばーん）

「オルリーダーとティアは無理しないでね！　私は食べてみます！」

お醤油と薬味を入れて、ぐるぐる混ぜていただきます！

んーっ！　前世ぶりの納豆だーっ！

「きゅきゅーっ（腐った豆なぞ興味ない！　我は散歩してくるのだ！）」

あ、はい。モモンガさん行ってらっしゃーい。

どうやら朝食の中に、モモンガさんの好きな食材は無かったもよう。本当に小動物の本能だけで動いているとしか思えないんですけど……。まぁいいけどさ。


朝食で謎の敗北感に苛(さいな)まれているオルフェウス君とティアはさて置き、食後のお茶は白虎さんと一緒にとることになった。

ゆっくりお茶でも飲みながら話を聞きましょうってことだったんだけど。

「青竜がうるさいの！　面倒くさいの！　そもそもあの子の婚姻(こんいん)を許さなかったのは、青竜の繋がりの者たちなのー！」

などと、私たちの目の前のソファーでぷりぷり怒っているのは、ミニサイズの白虎さんだった。

あれ？　前は大きかったし、言葉づかいも偉そう……というか、威厳のある感じだったような気がするんだけど？

「これは白虎ノ宮様の分体でござる。神の眷属とされる守護獣は、管理する場を離れることはできないのでござるよ」

「でも分体なら大丈夫ってこと？」

「力は弱くなってしまうが、この状態でも並の兵士千人集めるよりも強いでござるよ」

「そうなんですねー」

「妾の事はどうでもいいの！　とにかく青竜が面倒くさいから、なんとかしてほしいの！」

ああ、いけない。苛々(いらいら)が極まったのかソファーで爪研ぎをしてしまっているよ。

ハラハラしている私にメイアンさんは「お気になさらず。後で宮様に請求するでござるよ」と言うので、ちょっと安心した。（安心、とは）

「静まれ」

「ぴゃっ⁉」

冷たい空気の中、静寂が訪れる。

そう、この部屋には白虎さんが苦手とするフェルザー家の氷魔(ひょうま)こと、ランベルト・フェルザー侯爵閣下がいらっしゃるのだ。

頭が高い！　ひかえおろう！（言ってみただけ）

「ほら白虎ノ宮様、落ち着いてユーリ殿たちに説明するでござるよ」

「わ、わ、わわわわわかったの！」

抱き上げたメイアンさんの胸元に爪をたてて震えている子白虎さんは、そのままの状態で説明するようだ。お父様の氷の威圧がよほど怖かったと思われる。

うちの侯爵様が塩を超えた氷対応ですみません。

13　白いモフモフをお供にする少女

テーブルには良い香りがする緑茶をメイアンさんが各席に置いてくれる。落ち着く香りに、思わず深呼吸しちゃうね。すぅー、はぁー、くんかくんか。

目の前のソファーにお行儀(ぎょうぎ)よく座り、しょんぼりと項垂れている小さな白虎さん。彼女（？）の困っている事とは、がっつりフェルザー家が関わっていた。

しかも、お父様の母親であるナディヤお祖母様の話だった。

「母上は二度と故郷に戻らないと決意していた、と聞いているが？」

「それもこれも、青竜の庇護下にあるセイラン家の老いぼれたちのせいなの。マシロ家はナディヤを許すって話だったのに、アイツらが悪いの」

分体になっているせいか口調が小さい子のようになっている白虎さんは、これでもかとばかりに不満を爆発させている模様。

メイアンさんも頷いているところを見ると、セイラン家とやらは過去にお祖母様の逆鱗（げきりん）に触れてしまったのだろうな。

昔々のその昔。

この国にある四つ柱のうちの二つ、セイラン家とマシロ家の間に玉のような娘が生まれたそうな。

娘は古き神の血を色濃くひいており、特に青竜に属する力を幼い頃に発現させたことは、周囲をたいそう驚かせたという。

ゆえに、両家は喜んだ。

二つの家の間に生まれた娘が、この先も家と国を盛り立てる一員となるだろう。我らの神と共に生きるだろうと、大きな期待を寄せていたのだという。

セイランの娘と名付けられた彼女は、七つの年に神との謁見を許され、その時に「ナデシコ」の名を賜（たまわ）った。

これはとても名誉なことで、ここ二百年ほど無い慶事（けいじ）だったという。

ナデシコ姫は国の中でも高い能力を持つ巫女（みこ）として活躍をすることとなる。

そして、成長するにつれ美しくなるナデシコ姫には、多くの求婚者が現れるのだった。

ところが……。

「父が大変失礼なことをした。代わって詫びよう」

「謝る必要はないの。マシロ家はナデシコ……ナディヤが幸せならそれでよかったの。今代のフェルザー侯爵が来てくれたおかげで近況を知ることができたし、とても嬉しかったの」

「そうか」

「元々ナディヤは冒険者に憧れていたの。あの時、青竜の老人たちが総出で閉じ込めたから、怒ったナディヤが脱走するついでにセイラン家の館を半壊させたの。老人たちはすごく怒っていたけど自業自得なの」

箱入りだったお祖母様が、どうやってお祖父様と会ったのだろうと思ったけど……ちょいちょい家出のようなことをしていたらしい。さすがお祖母様である。

昔はヤンチャだったお祖父様と、家出常習犯のお祖母様が一緒に行動していたとすれば……各方面に色々とご迷惑をかけたのではなかろうか。

家同士の繋がりや代々古く続く家の決まり事って、現代日本においても厄介なことが多かった記憶があるけれど、筋は通した方がいいと思うよ。

たぶんマシロ家もセイラン家も、お祖母様に家を継いでほしかったんだろうなぁ……。

「人の世は、いつまでも同じではいられない。それは青竜も分かっていたの。でも、臣であるセイラン家を制御できなかったのは彼奴の責任なの。許さなくてもいいの」

「生家はともかく、神の眷属については許すも許さないもないだろう。母上は気にしていないと思うが」

「……そうなの？」

「今はユリ……私の同行者や家族が幸せなら、それでいいと思っているだろう」

お父様が珍しく私の名前を言い間違えそうになっているね。そう、今の私は冒険者ユーリですよ。

白虎さんは私の正体を知っているみたいだけど。

フェルザー家において、私とお祖母様の繋がりは薄い。でも可愛がられているという情報が出回っているのを知っているし、高原のお屋敷で実際に実感したことでもある。

お父様がそう言うなら、きっと私はお祖母様（と、お祖父様）から愛されているのだろう。いや、確実に愛されている。

前は「たぶん」とか「だったらいいな」とか思っていたけど、最近は素直に事実を受け取ることにしたのだ。

もちろん、お父様からの愛情に関しても。

「きゅっ（ようやく認めるのだな）」

そう、私はお父様から愛されている。だから、これからさらに愛されるよう努力する所存。ふんすふんす。

「きゅきゅっ！（やはりわかっておらぬではないか！）」

お茶会が始まった時に、どこからともなく戻ってきたあげく、木の実に夢中だったモモンガさんのツッコミは放置するとして……今は白虎さんの話に戻ることにしよう。

「セイラン家は代替わりしたの。今代の者たちはナディヤに戻ってきてほしいの。外交官としてフエルザー家の当主が来たと知って、諸々の説得をしろとうるさいの」

「自分達で好きなだけやればいいだろう。なぜマシロ家に申し入れる？」

「マシロ家には年に数回くらい手紙が届くの。あっちには無いの。だからなの」

なるほど。つまりお祖母様とやり取りしているマシロ家にどうにかしろって言っているのか。

「そういうところだと思います」

「拙者もそう思うでござる」

私の言葉に、メイアンさんが呆れた様子で頷いている。

さて、どうしたもんかねぇ。

お父様が私を見ている。これは私の決定を待っている感じですね？　わかります。でも困ります。

「では、セイラン家の人と対話してみましょう」

「それでいいのか？」

「はい！」

お父様からの確認に、力強く頷く私。

揉め事の鉄則は「関わった人たち全員の話を聞くこと」だと思っている。誰にでも言い分はあるだろうし、公正に見るためには多くの情報が必要だ。

ましてや、私は本人ではないのだから。

「ありがとうなの！　お礼に妾も同行するの！」

「宮様、それは……っ!!」

「分体だから護衛くらいはするの！」

そう言って私に飛びついてきた子白虎さんを、横から風のように首根っこを掴むお父様。

「な、なにをするのーっ！」

「ユーリに近づくな」

「ずるいの！　そこの毛玉はいつもくっついているの！」

「毛玉は仮とはいえ契約をしているからな」

「じゃあ妾も契約するの！」

「宮様⁉」

それはダメだと思うよ。子白虎さん。

あと「我は毛玉ではなく精霊王であるぞ！」などと騒ぐモモンガさんは、ほっぺに詰め込まれた木の実を処理してから意見を主張してもろて。


お茶会が終わり、部屋に戻った私たちに白いモフモフが同行しているのを見て、オルフェウス君とティアは大きく息を吐いた。

「元のところに戻してこい」

「ユーリちゃん。生き物を飼うということは、命と向き合うということなのですから」

「妾は拾われた犬猫じゃないの！」

おお、異世界でも捨て犬猫がいるのかしら？　と思ったら、森の獣の子を拾ってくる動物大好きな人がいるんだってさ。

かくいうオルフェウス君も幼い頃、犬や狼を飼いたい時期があった……という、ほのぼのエピソードいただいたところで。

分体の小さな白虎さんと一緒に、セイラン家が管理するセイラン町へ向かうことになりましたとさ。やれやれ。

14　されるがままになる幼女

あまり長く冒険者モードでいるとよろしくないとのこと。

メイアンさんアサヨさんご夫婦に別れを告げて幼女に戻った私は現在、お父様にお膝抱っこされております。

ちなみに、幼女になっても子猫の耳と尻尾はそのまま付いております。

「ベルとうさま」

「……なんだ？」

「ひとりですわれます」

「……そうか」

この状態になったら、おひとり様での行動はできないと知っている。だがしかし、私は主張したい。

ひとりで座れるもん！　と。

「しばらく冒険者の姿だったもんな。侯爵サマの心の安寧のために一緒にいてやれよ」

「そうですよ。あまり体を変化させると、ユリちゃんへの負担も大きいみたいですし……」

「妾のことは気にしなくてもいいの。いっぱい親子でイチャイチャするといいの」

オルフェウス君とティアはともかく、子白虎さんまで言いたい放題とは。ぐぬぬ。

私たちはマシロ町からセイラン町へと向かうデンシャに乗っている。馬車よりも揺れないし、お尻は痛くならない乗り物だからありがたい。お父様とお師匠様の魔改造馬車の乗り心地には負けるけどね……。

ゆらゆら揺れるデンシャの中で、座席に香箱（こうばこ）座りする子白虎さんにティアが話しかけている。そういえば虎もネコ科だったっけ。

「ところで白虎様の分体様のことは、なんとお呼びすればいいですか？」

「妾のことは……」

「白いからシロでいいだろ」

「不敬なの！　しょうがないからシロでいいの！」

オルフェウス君の適当な返しに、さすがに子白虎さんも怒ったかと思ったら、そうでもないみたい。二人の間に座っている子白虎さん改めシロさんは、楽しそうに尻尾をゆらゆらさせているからね。

ティアはロップイヤーラビットの耳を揺らし、オルフェウス君は黒豹の尻尾をゆらゆらと揺らしているから、二人も楽しいのかな？

加護を受けた私たちのケモミミは、感情表現を分かりやすくしていると思う。白虎さんも、この国の人たちは嘘をつけないと言っていた。

ここの神様もそれを狙っていたとか？　いやまさか……。

ちなみに私の子猫の耳と短めの尻尾は、お父様に優しく撫でてもらったりブラッシングされたりしているよ。えへへ。

いや、えへへじゃない。

「えーと、シロさん、あんないよろしくおねがいします」

「うむ。くるしゅうない、なの」

礼儀はしっかりとしないとね。

私が一礼すると、お父様以外の全員がお辞儀をしたよ。まぁ、お父様はうちの国王陛下の代理だからというのもあるけれど……。

「案内などなくとも、ユリアをエスコートできる」

「旦那様……」

さすがに呆れた様子のセバスさんに、お父様は「うちのユリアに頭を下げさせるとは」みたいなオーラを出しているの、ちょっとモンスターペアレンツの香りがしますぞ。くんかくんか。

「ユリア、母上のことで迷惑をかける」

「ベルとうさま……だいじょうぶです。わたし、おやくにたちたいので」

「ユリア……なんと、健気な……!!」

お父様が不機嫌だった理由は、お祖母様のことで私に迷惑がかかったと思っていたからだった。

ちょっと偉そうだとか思ってごめんなさい。

「仕方がない。その獣の同行を許そう」

「すごく偉そうなの！　でもこっちがお願いしている立場だから許すの！」

ちょっとどころじゃなかった。お父様はすごく偉そうだった。そして子白虎(シロ)さんは小さくても心が広かった。

でもこれこそ氷の侯爵様としてのアイデンティティー（？）だし、偉そうなお父様もかっこいいからしょうがないよね。


本当は到着した港のあるマシロ町から時計回りに観光する予定だった。神様に会うのに四つの町にいる柱（眷属）と会う必要があったから。

でも、セイラン家とお祖母様の件で、西から東、北から南という順番に変更となった。それゆえに、国の中心を二回通ることになる。

国の中心にあるお社(やしろ)は、シンプルな造りでまったく目立たない建物だった。

デンシャの中から見ることができたけど、子白虎さんが教えてくれなかったら気づかなかったと思う。

西の館は雄大な水墨画の世界といった色づかいの建物で、赤と金の装飾が目立っていた。子白虎さんいわく他の館も同じ造りとのこと。

国の中心的な建物なのになぜだろう。不思議だ。

「我らの神……ヒガシノカミは謙虚で恥ずかしがり屋なの。だから『符』をたくさん使って目立たないようにしたの」

なんとなくコミュ障の陰キャラをイメージしてしまうのは、私だけでしょうか。

日本人の美徳なのか、ただの人見知りなのかは不明だけど……会った時にでも答え合わせはできるだろうから、今は観光を楽しむのと……。

「ベルとうさま。おばあさまに、おはなししないと」

「宿に着いたら連絡する」

「あい」

「……申し訳ない、なの」

ションボリする子白虎シロさんを、横にいるティアが撫でてやっている。

神の眷属への対応として正解かは不明だけど、巡礼神官でもあるティアは慈愛のかたまりだから、きっと許されると思う。

中心地を通り過ぎ、デンシャは東にあるセイラン町の入り口で止まった。

「セイラン町の宿は入り口に集中しているから、先に選んでおくといいの」

「へぇ、ちっこいのに物知りなんだな」

「神の眷属の分体は、本体と同じ知識を持っているの！」

黒豹の尻尾をゆらゆらさせるオルフェウス君に、セバスさんが「ほどほどにしなさい」と注意している。

つまり、ほどほどに弄（いじ）るのはいいってことか。そりゃお家騒動（？）に巻き込まれてますから、丁寧に接する気持ちにはなれないかもだけど……。

オルフェウス君の場合、そういうの関係なく人を弄るのが好きなんだろうな。彼は品行方正な主人公キャラじゃないし。

日が落ちて薄暗くなってきた町の入り口は、ぼんやりとした明かりに照らされている。

町の入り口には看板が置いてあるくらいで、特に検問のようなものはない。国内の移動は加護や滞在許可証があれば自由に行き来できるらしく、それらを持っていない人は強制送還されるから門番は西の入り口にしか置かないとのこと。

「治安がいいのだな」

「我らの神が管理しているから民は安全なの。逆に国の外にいる人は民じゃないから、どうなっても助けられないの」

「おばあさまも？」

「そうなの。ナディヤのことを、妾も青竜も心配してたの」

力の強い巫女だったお祖母様は、きっと多大なる加護を得ていたのだろう。

でも、国の外に出てしまったら加護は届かない。白虎さんだけじゃなく、ご家族も心配していただろうな。

しんみりとした気持ちになっていると、子白虎さんはフルフルと首を横に振った。

「むしろナディヤの家族はまったく心配していなかったの。セイラン家にいる己の立場を心配する老害たちはいたけど、それはどうでもいい話なの」

なるほど。それだと、お祖母様のご家族は良い人たちなのだろう。

デンシャでの膝抱っこから、そのまま縦抱っこにして私を運ぶお父様の顔を見上げる。

「わかっている。宿をとったら、高原の屋敷にいる母上と会話しよう」

ありがとうございます。お父様。

15 和解への道を進ませたい幼女

子白虎のシロさんが呆然としている。

尻尾を含めて体毛すべてがブワッと広がっているのが面白い。

「な、何が起きたの？　これは何なの？」

「フェルザー家が管理している領地のひとつで、ここに母上……ナディヤ・フェルザーが住んでいる」

「そうじゃないの！　なぜ、さっきまで海の向こうにいたのに、一瞬でここにいたの！」

気づけば私の尻尾は消えていて、オルフェウス君とティアからもケモミミが消えている。ちょっと残念。

そして子白虎シロさんは、さらに小さくなっていた。中型犬サイズから小型犬チワワサイズくらいに縮まっている。大丈夫かな？

「大丈夫じゃないの！　危なかったの！　本体から距離があると消えちゃうの！」

そうだったのね。消えなくてよかったね。

もし王都や砂漠や北の山に移動してたら、消えていたかもしれないね。

「や、やめるの！　分体は一度消えたら、すぐには作れないの！」

慌てるシロさんをほのぼのと見ていると、お父様から冷たい空気が流れてきた。

「ユリアの心を勝手に読むな」

「わ、わかったの！　気をつけるの！」

いつの間に心の中を読まれていたのかしら……私ったら危機感がなさすぎるのかも。いや、これはお父様やセバスさんで慣れてしまったからだと思う。

「お嬢サマは表情でも読めるんだし、心を読む必要ないだろ」

「さすがのシロさんも、慌てていたんじゃないですか？」

そこでヒソヒソ話しているオルフェウス君は、罰としてモモンガさんとお屋敷のまわりを見回ってくること！

「きゅっ!?（なぜ我もっ!?）」

モモンガさんはオルフェウス君の頭の上で、ずっと寝ていたでしょ？　まったく……精霊王じゃなくて食っちゃ寝王って呼ぶぞ。

「きゅっ（ぐぬぬっ）」

そんなことを言いながら高原のお屋敷のエントランスに入った私たちは、本邸の元執事長アヒムさんに出迎えてもらったよ。

「おかえりなさいませ旦那様方。そして、ようこそいらっしゃいましたお客様」

「うむなの。くるしゅうないの」

さらに小さくなった子白虎さんは、てちてちと前に出てきてフスンと鼻から息を出した。小さいくせに偉そうな生き物、ちょっとかわいいよね。

「ユリアーナたんっ……ぐはぁっ!?」

「ユリアーナちゃん、おかえりなさい。そして白虎ノ宮様、お久しぶりでございます」

私に向かって両腕を広げたお祖父様は、次の瞬間なぜか床に片膝をついて「良いパンチだぞ……ナディヤ……」などと言っている。大丈夫かしら？

「うむ、お久しぶりなの！　ナデシコ……いや、ナディヤも息災でなにより、なの！」

分体のせいか、本体の口調がうまく使えてないシロさんが面白い。そしてやっぱりお祖母様は巫女としての顔があったんだろうね。淑女の微笑みを浮かべているし、シロさんに敬意を払っているのが分かる。

「それで？　うちの孫まで巻き込んで、白虎ノ宮様は何を企んでらっしゃるのかしら？」

「ま、巻き込むなど……」

「ないとおっしゃるのかしら？　この状況で？」

「ひっ……」

お祖母様の笑顔に、シロさんだけではなく横にいるお祖父様までもアヒムさんの後ろに隠れてしまったよ。

わぁ、お屋敷の中で冒険者「暴風の蒼竜」モードは危険だと思います。お祖母様。

「抑えてください、母上。できればユリアのために交渉を有利な状態で進めていきたいのです」

「あら、そうなの？　それならしょうがないわね」

あっさりと威圧を収めるお祖母様、すごい。

涙目の子白虎さんは、ティアの大きな胸に飛び込んでしまった。あらあら気をつけてくださいねー。お父様の横にいる『影』の長から怖いオーラが出ていますよー。

「マシロ家はいいけれど、セイラン家とは死ぬまで関わらないと決めていたのよ。アロイス」

「そうか。ユリア、どうする？」

お祖母様からの言葉を華麗にスルーパスしてくるお父様。

いや、どうする？　って言われましても……。

アヒムさんとセバスさんが用意してくれたお茶の席で、珍しくひとりで座っている私は、いい香りのする緑茶をひと口いただく。んー、おいしー。

そう！　高原のお屋敷に、幼女用の椅子が届いたのである！（ばばーん！）

……じゃなくて。

「おばあさまが、いやがっているなら……」

「それだと困るの。落ち込んだ青竜の愚痴をずっと聞くことになるの」

「黙らせればいいだろう」

お父様、それは物理的にですか？

オルフェウス君とティアは少し離れた場所のテーブルに座っていて、モモンガさんと一緒にお菓子をつまんでいる。いいなぁ……私もほのぼのとお茶したい……。

私と同じく、幼児用の椅子に座っている子白虎シロさんは、お祖母様に懸命に頭を下げている。

「お願いなの！　彼奴はずっと後悔しているの！　話だけでも聞いてほしいの！」

「……別に、青竜ノ宮様に怒っているわけじゃないのですよ？」

「でも、部下の失態は上司が責任をとるものだって、我らの神も言っていたの」

さては『東の国』の神様、前世（？）社畜だったな？

私も会社勤めをしていた経験があるので、部下の責任について色々と思うところがある。

それを鑑みると、青竜さんは「良い上司」なのだと思うよ。お祖母様。

私が何かを訴えるような上目遣いで見ていると、お祖母様はとうとう根負けしたようだ。

「……仕方がないですね。老害たちとの縁切りを正式にしていただければ、話し合いに応じましょう」

「助かるの！　これで青竜も心置きなく縁切りできるの！」

チワワサイズのシロさんは、大喜びで体から白い鳥のようなものを飛ばした。

「いまの、なに？」

「連絡用の『符』なの。我ら四つの眷属は、符を自由に生み出せるの」

「べんり！」

ちょっといいなと思ったけど、私には何でもできるチートな魔力があったっけ。それに、ヒガシノクニの民じゃないと『符』は使えないから、魔力一択だったわ。

そして、今回の話は縁切り前提だったのね。最初から言ってくれればいいのに……。

「最初に言ってしまったら、ただの押し付けになってしまうだろう。謝罪する時は相手が条件を出すのを待ったほうがいい」

「そうなのですか？」

「先に出してしまったら、さらに条件を追加される。かといって低い条件を見積もったらさらに怒らせてしまうからな」

「なるほど。さすがベルとうさま」

思わず拍手をしたら、お父様に素早く抱っこされて頭を撫でられましたとさ。ふぉぉ！　摩擦っ！　摩擦で火を噴くぅっ！

あとお祖母様から「母親を交渉術の教材にするなんて……」という苦言が来ましたよ。

はい。現場からは以上でーす。

16　手紙の返事に苦戦する幼女

青竜ノ宮が管理する町は、交易の窓口となっている西のマシロ町と比べて人通りも少なく静かだ。

宿の数は少ないけれど、ここまで来る観光客はあまりいないようで、空室は比較的多いとのこと。

今回滞在することになった宿はなぜか西洋風の造りで、ひとつひとつの部屋が前世でいうスイートルームほどの広さがあり、なんと天蓋付きのベッドまでも置かれている。

もしや……お父様たちはこっちのほうが楽なのかな？

「護衛の関係で、こちらの宿を選ぶことになりました」

「ほかは、ダメだったの？」

「基本的に『東の国』の治安は良いので、要人を護衛しやすい建物が少ないようでございます」

そう説明してくれるセバスさんは、シンプルな作りのテーブルにほうじ茶の入ったティーカップと落雁を出してくれる。

ふむふむ。香ばしい風味のほうじ茶と、落雁の仄かな甘みがたまりませんな。

子白虎シロさんは、ソファーにふかふかなクッションを置いてもらって、すっかりお寛ぎモードだ。

もしかしたらお祖母様との話し合いが終わって、気が抜けているだけかもしれない。

さて、今の私は幼女モードだ。

シロさんが「西の町はともかく、他の町で他国の情報は入らないから大丈夫」と太鼓判を捺してくれた。

成長の魔法陣を使うと、地味に体に負荷がかかるから助かる。

「青竜ノ宮との謁見は明日以降だろう。町歩きでもするか？」

「あい！」

お父様からの申し出に、嬉々として頷く私。

東のセイラン町は水が豊富で、米農家が多い。米から造られる調味料やお酒もあるという説明を受けたとき、ひそかにオルフェウス君の目が輝いていたのを私は知っている。

基本的に東は大地を司（つかさど）っているらしいけど、種族的に水との親和性の高い青色の竜がいるからか、とてもいい米酒ができるみたいだね。前世の私も日本酒を好んでいたっけ。ああ、なぜ今の私は幼女なのか。ぐぬぬ。

ちなみに西の白虎は風を司っているので、町に港を置き、外からの風を取り入れる役割があるとのこと。

国を閉ざしていると空気が淀（よど）むというのは、この国の神様が言った言葉らしい。

確かに換気って大事だよね。空気の流れがとまったら悪くなる。それは人や物の流れも同じで、国を管理するためには外との交流も必要なことだと思う。

外の国といえば、お屋敷に戻った時は髪や肌の手入れをしてもらっているんだけど、マーサとエマがビアン国から新しい成分の入った肌ケア商品を手に入れたとかで、たっぷりと塗り込まれたよ。

あいも変わらず、彼の国ではミコちゃんの知識チートが唸りを上げておりますな。おかげでお肌がプルプルモチモチになったよ。

「おや……ティア殿、いつにも増してお綺麗になられましたね」

「ひょっ!?」

ティアが奇声を発しているので手加減してあげてくださいセバスさん。確かに私と一緒にティアもお肌に施術を受けていたけど、その差に気づいちゃうところがイケメンですねセバスさん。イケセバ。

「……ユリア、手紙が来ている」

「わたしにですか？」

眉間に深い皺を刻んでいるお父様から渡された手紙は、すべてビアン国から来ているものだった。

誰からだろう？　アケト叔父さんかな？

今にも凍らせる気満々のオーラを発するお父様の手からセバスさんが素早く受け取り、うやうやしく手渡してくれたよ。

「えーと、カダムぞく、モッホぞく……？」

「カダム族とモッホ族は、ビアン国の王族に次ぐ有力な一族です」

徐々に不穏なオーラをまとっているお父様の横で、セバスさんが補足説明してくれる。ありがたや。

「かわったなまえだね」

「カダムは足を、モッホは頭脳を意味しております」

「ビアンのおうさまは？」

「クァルブ族です。心臓を意味します」

なるほど。それぞれの部族名は、人間の体の部位を意味しているのね……って、問題はそこじゃない。手紙の内容だ。

二つとも私に対しての婚約打診だったよ。あれ？　断ってくれたのでは？

「他はすべて断っているが、この二つはユリアの返事が欲しいなどと生意気なことを言ってきたのだ。一族すべて氷像にしてやろうかと思ったが、王(アーサー)が泣いて頼んでくるのが鬱陶(うっとう)しくてな……仕方なく引き受けることになった」

お父様。うちの国の王様を泣かせたらダメだよ。可哀想だよ。

返事を書くのはいいけれど、お父様のご機嫌が氷すぎてどうしよう。

手紙を見ながら悩んでいると、お父様が抱き上げて膝にのせてくれた。

「わかっている。ユリア」

「う？」

「お前が手紙を受け取り、返事を書くのは初めてのことだ」

「あい」

そうです。こういう手紙に、どうやって返せばいいのかわかりません。見本をくださいお父様。

「大丈夫だ。私が常日頃書きためているお前への手紙を渡そう」

はい？？？

ちょっと待ってくださいお父様。急に会話の流れについていけなくなりまして……。

「心配するな。おかしなものをユリアに読ませはしない。ヨハンの監修とセバスの編集が入っている」

いやだからそうではなくてですね？？？

お父様の横に控えていたセバスさんが大量の紙をテーブルに置くと、上から数枚を手渡す。

お父様？？？　冒頭には『愛らしい天使、ユリアへの讃歌』とあるのですが？？？

あまりのことに思わずセバスさんを見たら、そっと視線をそらされてしまったよ！　ちょっと、編集してるんでしょ！　もっと読者の気持ちに寄り添ってください！

「お前に渡しておく。そしてひと言でいいから私とヨハンに向けて、言葉を綴（つづ）ってほしい」

まさか、この内容に対しての返事ってことですか？

讃歌って書いてあるので、だいたいの内容は想像できますけど……これに対してのお返事、とは？

おめめぐるぐる状態の私は、なんとか捻（ひね）り出し「ベルとうさま、おにいさま、いつもありがとう」という幼女的な意味で無難な手紙を完成させたのでした。

私が手紙を書いているところや、私が書いたものや、私が読み上げたものに色々な魔法や魔道具や魔法陣が使われていたけど、全力で知らないフリをしましたよ！

対戦（アドバイス）ありがとうございました！

おかげでビアン国の人たちには、しっかりとお断りの返事が書けました！

17　過保護宣言に悟りから無になる幼女

さて観光でもしようかと席を立ったところ、宿に謁見を許可するという内容の書簡が届いてしまった。

なんというタイミングの悪さよ……。

「彼奴は昔からこうなの。真面目だけど間が悪いの。だからナディヤを怒らせたの」

「ユリアの観光を優先……」

「ベルとうさま！　だいじょうぶです！」

さすがに神の眷属である青竜さんとの謁見を後回しにするわけにはいかない。

素早く身支度をしているオルフェウス君とティア。私は着替えを……と思ったら、セバスさんがお父様と一緒にお屋敷に送ってくれた。実のところ、マーサとエマに「高貴な御方との謁見準備はこちらでします！」と言われているのだ。

セバスさんは男性だし、ティアはこの国では巡礼神官として忙しそうだからしょうがない……ぐぬぬ。魔力があるからひとりでできるもん。

子白虎シロさんは「ようやく解放されるの！」と喜びをあらわにしていたけど、私はちょっと微妙な気持ち。

だって、セイラン家でお祖母様は嫌な思いをしたわけだし……。

シロさんの喜ぶ姿を見て鬱々とした気持ちになる私を、お父様は抱っこして背中を優しく叩いてくれる。

「ユリア、デンシャでの移動になるが平気か？」

「……あい」

例の輿は呼ばず、館への直通電車に乗れるんだって。

前世で見た「御召列車」みたいな、要人の移動用らしいよ。他のデンシャより豪華で、座席とかフカフカなクッションが付いている。

さっきのモヤモヤした気持ちはどこへやら。単純な私はテンション高くなり、お父様の肩越しから窓の外の風景を見ることにした。

流れるのは、長閑な田園風景だ。

ちょうど稲刈りの時季なのか、黄金色の中をポツポツと働く農家の人たちが見える。

懐かしい……なんて、都会で育った私が言うのは変な感じだけど、この風景は日本人なら皆が共感すると思う。

「米というものは、我らの神がもたらした至上の穀物なの。特に青竜は米を絶やさないように細かな管理を任されていたから、ちょっとだけ部下に目が届かなかったの。ナディヤには悪いことをしたの」

「……そっか」

この景色を守ることは、たぶん、この世界では難しいと思う。私のフワッとした設定だと、こういう形で米は普及しなかっただろうし……。

実はモモンガさんの情報もあって、もしかしたらって予想をしているんだよね。

「……ユリア。絶対に一人で行動するな」

「あい！」

返事だけは元気な幼女です。お父様の謎能力で何かを察したのかもしれないけど、今回の件に関して私は一人で行動しようとは思っていない。

だって、一人で解決……というか、処理できそうにないからね。国とか世界単位になったら、私の残念な頭脳では無理。絶対。

「まぁ、お嬢サマを一人にはしないけど、この国に入ってから魔獣の気配がないのはどういうことだ？」

「私の『祈り』は届きますが、神々の声が届きづらいこととも関係あるのでしょうか」

「それは妾たちの力で、我らが神の創られた『符』で国を囲っているからなの。この国の中でしか、我らの神は御力を振るえないの」

「……そのようなことを言ってもいいのか？」

「いいの。神は、その子を敵に回したくないと仰っていたの」

「え？　わたし？」

いつの間にそんな話になっていたんだろう？　お父様パワーかな？

「ふむ。確かにユリアは天使であり、愛らしさの権化でもある。しかし、そちらの神にはやらんぞ」

「そういうのじゃないの。我らの神は唯一がいるの」

「ならば許そう」

他国の神に対して、お父様がすごく偉そうにしている件！

オルフェウス君とティアは苦笑しているけど、セバスさんは「さもありなん」という感じで頷いているのは何故？

私のことはともかくとして、魔獣が出ないのはいいよね。シロさんも「治安の良さは世界一なの！」と豪語するだけあって、索敵しても道行く人たちから害意のようなものを感じることはないし。

私はともかくとして、今回のお父様は外交官として入国したから護衛は絶対に必要なのだ。一人で行動しちゃダメなのは、むしろお父様なわけで……。

「ほら、青竜のいる館が見えてきたの。もうすぐなの」

「え？」

デンシャの窓の外には、さきほどから変わらない長閑な風景。

稲刈りをする人たちと、田の合間にぽつりぽつりとある茅葺き屋根の一軒家しかない。

「きゅっ（主よ、あそこに異質なものがあるぞ）」

オルフェウス君の頭から私の頭にふわっと移動したモモンガさん。言われるがままの方向を見てみると、風景が一部分だけ弛んだ気がした。

「なんだ、あれは」

「青竜は自分の家がケイカンヲガイスから、幻覚の『符』を置いてるとか言ってたの。なんだっけ……ケイカンヲガイス？」

景観を気にするなんて……いや、西を管理するシロさんならともかく、青竜さんが気にすることではないと思うけど。

むしろシロさんのほうが気にした方がいいと思う。ちょっと観光的な意味で派手な感じだったし、ここの神様が日本人なら「なんか違う」って言うと思うよ……。

デンシャは静かに歪んだ風景の中に入っていくと、西の時と同じくモノクロの水墨画の風景が現れる。

朱色に塗られた門の前には、鹿のような角を生やした男性が深々と御じぎをしていて、デンシャはゆっくりとスピードを落としてから停まる。

「ようこそお越しになりました。青竜ノ宮様がお待ちでございます」

「うむ」

お父様が私を抱き上げたままデンシャを降りて、その後ろからオルフェウス君とティアが続いている。

セバスさんはすでに降りていたよ。いつの間に？？？

「警戒されるのが当たり前かと。どうか、存分にご確認くださいませ」

鹿の角を生やした人が頭を下げたままセバスさんと会話しているので、とても落ち着かないのですが。

「それはもういい」

「はっ！　ありがたき幸せ」

時代劇のような口調だと思っていたけど、もしかしてセイラン家の人だったりするのかな？

「某のことは後ほど……まずは宮様に……」

それがし！　それがしって言った！

メイアンさんが「拙者」だったから、もしやこの人も武士系？

毎度のことながらセバスさんに靴を預けて、私たちは白虎さんの時とまったく同じ造りの建物に入っていく。

長い廊下を（私はお父様に抱っこされたまま）歩いていくと、豪奢な扉が現れた。

「前のようなことがあれば……」

「大丈夫なの！　あれは、妾がやらかしたことで、慎重派で真面目な青竜はしないの！」

「なるほど。貴様はやらかした自覚があると……」

「ごめんなのー！」

うにゃうにゃ鳴いて涙目の子白虎シロさん。私はお父様の襟をそっと摑む。

「ベルとうさま、まえより、からだのちょうしがいいの」

「……そうか」

出ていた殺気を引っ込めるお父様。念のために確認したのだろうけど、シロさんの震えがすごいので、次は手加減してあげてくださいまし。

鹿の角の男性が扉に触れると、ゆっくりと開いていく。

「きゅっ（主、我もいる。前のようなことにはならぬ）」

ありがとうモモンガさん。

やけに皆が心配していると思ったら、私の子猫耳がペタッてなっているし、尻尾は膨らんでいていかにも「警戒してます！」って外見だった事を知ったよ。お恥ずかしい……。

部屋に入ると、奥には瑠璃(るり)色に輝く鱗(うろこ)に包まれた竜がいる。

トグロ状態な様子が「ドラゴン」ではなく「竜」って感じだね。

青竜さんの前で、堂々と名乗りを上げるお父様。

「私はランベルト・フェルザー。フェルザー家の今代の当主で、外交を目的として来ているのだが、私は基本的にユリアーナの願いを優先している」

お父様の自己紹介のクセが強い件。

大丈夫ですよ。私に決定権があることは理解されていると思います。

名乗りをあげているお父様の腕には、しっかりと抱っこされた私がおりますからね。

18　恥ずかしさがジワジワくる幼女

「この度は、我が配下が迷惑をかけましたね」

「それは母のことであり、私には不要な言葉だ」

「……そう、ですか」

これはお父様の分かりづらい優しさなんだけど、青竜さんは鱗をシャランと鳴らして項垂れてしまった。

ああ、ごめんなさい。お父様が氷対応なばっかりに……。

「まったくもって青竜は昔から堅いの。妾も迷惑だし、さっさとナディヤと和解するの」

「白虎の！　分体なぞ使って、フラフラと出歩くなんてどういうつもりですか！」

「どうもこうもないの。さっさと滞在許可証を渡すの」

カッと鱗を光らせる青竜と、後ろ足で首まわりを掻いている子白虎という図に、なんとなく二人（？）の関係性が見えた気がする。

なるほど。

「いいんちょうタイプか」

「誰がイインチョーですか！　……って、今の言葉は貴女が？」

あ、しまった。口に出てた。

なんとなくクラスにいる陽キャラとクラス委員長って感じのやりとりだったもんで、つい。

「我が神もよく仰っておりました。私のことをイインチョーのようだと」

私の発言によって妙な空気になったけれど、お父様の言うように謝罪会見を私たちにされても困る。

そう、今からやることは……。

「セバス」

「はっ、準備はできております。……こちらへ」

お父様の声に、セバスさんが流れるような動作で精霊の力を使う。

緑の光の線が走り、空間が切り開かれて現れたのは。

「ナ……ナデシコ？　ナデシコなのですか？」

「お久しぶりですね。青竜ノ宮様」

現れたのは、東の国の着物を身に纏（まと）ったお祖母様だ。

青みを帯びた銀色の髪は、瑠璃色の簪（かんざし）を使って綺麗に結われている。お父様くらいの子どもがいるとは思えない若々しい姿だ。

もしかして、これはお祖母様が巫女だった時の服装なのかな？

青竜さんは瑠璃色の鱗をシャランと鳴らして驚いた様子だったけど、徐々に金色の目が潤（うる）み、ポロポロと涙を落としていた。

「会えて、会えて嬉しいのですよ。しかし、どうしたことでしょう。ナデシコ……」

「はい。青竜ノ宮様」

「ナデシコ、いや、ナディヤ……貴女の姿に、私は、私は……」

「ふふ、私も年を取りましたからね。昔のままではありませんよ」

青竜さんの言葉に微笑むお祖母様。

どういうことだろうとお父様を見上げれば、いつになく真剣な表情をしている。なんだろう、お父様の顔を見ていると胸がチクチクする感じがする。

　きらびやかな室内では、お祖母様と青竜さんとの会話が続いている。

　鹿の角の男性が、部屋の壁際にあるソファーに座るよう案内してくれた。セバスさんが笑顔で頷いているから、この人はきっとできる人だと思う。

「ああ、ナディヤ……巫女のままであれば時止めの『符』を使えたのですが……」

「青竜ノ宮様、これでいいのですよ。私は神と共に永遠を生きるよりも、愛する人と死ぬことを選んだのです」

　その時、ようやく私はこの国の巫女について気づいた。そして、真剣な表情をしていたお父様のことも。

　お祖母様の覚悟は相当のものだったのだろう。そして、もしかしたら私が考えているよりも、お祖母様は長く生きていらっしゃるのかもしれない。

　メイアンさんも、白虎さんも、誰も明確に「何年前」と言ってなかったのだから。

　この国が閉じられている理由。

　そして、お父様がこの件について説明しなかったということは、もしかしたら……。

「ああ、申し訳ないことをしました。私が招いたにも拘わらず、客であるフェルザー家の方々を相手しないとは……」

「うちの子たちは大丈夫ですよ。それよりも今回のセイラン家の代替わりで、ようやく綺麗になったと聞きました」

「ええ、悪意はない子たちだったので、時間がかかってしまいましたが……私の性質が妙な方向に出ていたようです。申し訳ないことをしました」

「謝罪は受け取りました。もう終わったことです」

テーブルにはお茶菓子がたくさん置かれている。あの時の豆菓子もあったから、さっそくモモンガさんが頰に詰め込んでいる。やはり精霊王とは、こちらが本体なのだろうか問題。

青竜さんとお祖母様の間に流れる空気が穏やかになって嬉しいけれど、わたしの小さな胸のチクチクはそのままだった。


お祖母様がこの場にいるということで、お父様はセバスさんと一緒に本邸に戻っている。部下のマリクさんから緊急の用件があるとのこと。あの人、なぜかすごく社畜のにおいがするから、ぜひ労って（ねぎら）あげてほしいです。

「それで？　ナディヤは冒険者というものをしていると聞いていますが」

「はい。おばあさまは、つよいです」

「そうですか！　さすがナディヤですね！」

とにかく青竜さんは私にお祖母様のことを質問しまくっている。

え、なに？　青竜さんはナディヤオタクなの？　幼女としては、ちょっと引いちゃうなぁ……。

「前の配下が、私に情報が来ないようにしていたので、長いこと何も分からず心配していたのですよ」

「ひどいです！」

「私の責任でもあるので……」

確かに部下の責任は上司にあるとは言うけど、青竜さんを見ていると一概にそうとは言えない気持ちになっちゃう不思議。

不器用だけど一生懸命な人って、つい応援したくなっちゃうよね。

お祖母様のことなら何でも知りたいといった様子の青竜さんに、私はふと思い出す。

「そういえば、おばあさまのふたつな、そうりゅうですね」

「二つ名、ですか？」

「もうひとつのなまえで、あおいドラゴンって、いみです」

「ドラゴン……」

こちらの国とはニュアンスが違うかもだけど、お祖母様は二つ名の「蒼竜」を使っていた。港町で私にも何かあったら二つ名を使いなさいと言っていたし。

青竜さんは悪いことをしたと後悔していたみたいだけど、お祖母様は嫌いな人を連想するような二つ名だったら拒否すると思う。

だから、きっと……。

「ええ、ユリアーナちゃんの言う通りです。巫女としての私は消えましたが、青竜ノ宮様への敬意を消したわけではありませんよ。私の師であり、友である御方を忘れることはありません」

「ナディヤ……」

そう言った青竜さんは、ポロポロと涙を落としている。鹿の角を持つ男性ももらい泣きをしているのが微笑ましい。

私はお祖母様と顔を見合わせて、にっこり笑顔になったよ。えへへ。

すると、私の姿をしみじみと見ているお祖母様。

「あら、ユリアーナちゃんの加護は子猫ちゃんなのね。ユリアーナちゃんに似合っていて、とても愛らしいわ」

「……あい」

猫じゃなくて子猫ってところが、とても恥ずかしく感じる今日この頃です。はい。

◇とある神の眷属は遠き少女を思う

この世界で国を興した神は、最初に我らと館を創られた。

北に玄武、南に朱雀、西に白虎、そして……東は青竜を。

神は仰った。

「どうか、この国を守ってほしい。もし、子どもたちの中で気に入った子がいれば神子や巫女として側に置いてやってくれ」

私たちは分かっていなかった。

子どもたちは、私たちを慕い、育ち、やがて老いて土に還っていくことを。

私たちを憶えている子達もいたが、多くは忘れてしまっていた。

それでも、私たちを再び慕ってくれた時は、新たな喜びに包まれた。

愛しい愛しい神の子どもたち。

別れは辛いけれど、私たちは確かに満たされていた。

長い時が過ぎていく中で、ある日、外に出ようとする神の子どもたちが現れた。

しかし神は「この世界に馴染んだのだろう」と微笑みながら見送り、やがて加護を外しておられた。

私には分からなかった。

争いの絶えない外の世界に出て行く子どもの気持ちも。

あれほど愛を与えていたのに、あっさりと加護を外す神の御心も。

「青竜ノ宮様は、真面目に考え過ぎだと思いますよ」

「そうですかね」

青く光る銀色の髪を揺らし、少女は楽しげに笑っている。

私の力を強く受け継いだ彼女……ナデシコは、歴代数人しかいない「神から名をもらった巫女」だ。

雪豹の耳と尻尾をゆらゆらとさせて、楽しそうに私を見ている。

たまに私の持っている宝玉にイタズラしようとする様も愛らしく、やんちゃな彼女のすることは、堅物である私もついつい許してしまう。

「外の世界に出たくなる気持ちもわかります。私も出てみたいと思ったことがありますから」

「えっ!?」

「ふふ、私の場合、家から外に出たいという意味ですよ」

「そ、そうですか。驚きました」

「青竜ノ宮様は、私が外の世界に出ることに反対ですか？」

「反対……いいえ、私はナデシコが笑顔でいられるのなら、どこで生きていてもいいと思っていますよ」


嘘を言ったわけではない。しかし、隠していた言葉がある。

私は出会った時から、ナデシコと共に生きていたいと思っているのだ。

人はそれを「愛」と呼ぶのかもしれないが、私は神の眷属であり、神の子どもたちを守るために存在しているモノだ。

ナデシコに対し、人としての愛を与えることはできないし、私自身そのような感情は持っていない。

それでも。

ナデシコに対する思いは、今までにないものだと私自身は知っている。

海より深く、空よりも広く、大地よりも確かな感情。

「私は、青竜ノ宮様に愛されていますね」

「……ええ、私はすべての神の子たちを愛しています。そして、私の巫女であるナデシコのことは、特別に愛しておりますよ」

私は幸せだった。

ナデシコが神の子と結ばれて、巫女ではなくなったとしても私は幸せだろうと思っていた。

しかし、彼女が選んだのは……外の世界の人間だった。

「青竜ノ宮様！　巫女様を、ナデシコ様をお止めくださいませ！」

「お止めしないのであれば、我らが向かいます！」

「どうか、ご決断を！」

「……外に出れば、我らの神の加護を失います。それはナデシコだけではなく、貴方たちも同じです」

「しかし！」

ナデシコの力は強く、とても優秀な巫女だった。

彼女の血はマシロ家とセイラン家からの繋がりがある。特にセイラン家は巫女である彼女がいることで、家の力が強くなると信じていた。そしてそれは勘違いでしかなかった。

私は彼らを正そうとしたのだが、うまくできなかった。

彼女の力に固執していた彼らと同じように、私も情によってナデシコを引き留めたいと思ってしまったからだ。

私は耐えていた。しかし、溢れる思いの力は流れを濁らせていく。

「誰であろうとも、去る者は追わない。それが、我らの神からのお言葉である」

「くそっ……ナデシコめ……我らの神、そして青竜ノ宮様を裏切るとは……」

「外に出てしまったのであれば、もう縁を切るべきです！」

「青竜ノ宮様、新たな巫女様を選びましょう！」

「……！」

「……！」

ああ、私の愛する神の子たちが、正道から外れていく。

外に出てしまったナデシコの、巫女としての力が消えていく。

私の周りを覆っていた、清冽なる流れが、水が、空気が、濁っていく。

危機的状況の中で、彼女への思いに囚われた私を救ったのは、西の淑女である白虎だった。

「青竜！　妾の出入りを許可せよ！」

「……ああ、頼む」

「まったく……我が神も仰っていたが、其方は相当の頑固者だな！」

私の領地への出入りを許可したことにより、白虎は本体のまま私の代理として子どもたちの道を整えてくれた。

嵐を呼び、濁ったものを飛ばしてくれたのだった。

それでも捻じ曲がった家の血は簡単には正せず、何度か代替わりすることでようやく整えることができたのは最近の話である。

「白虎……いや、分体であるから別の呼び名がいいですか？」

「あの子たちからは、シロと呼ばれているの。本体とは繋がっているから好きなように呼ぶといいの」

「楽しそうで何よりです。私も白虎のように分体を作りましょうか」

「良いと思うの。それで、向こうの国に遊びに行くといいの。ギリギリ保てると思うけど、消えないように気合を入れるの」

「え？　まさか白虎、外に出たのですか？」

「接続が悪くなるけど、大丈夫だったの。あの子の住んでいるところを、見てみるといいの」

すました顔で前足を舐めている白虎の言葉に、それも良いかもしれないと思う。

そして近い未来。私は驚き、喜びに溢れることとなる。


あの日、私と共に笑い合った少女。

風に波打つ田園の緑、高く広がる青空。

日の光を受けて煌めく水が、豊かに流れる川。


今、彼女が住んでいる場所から見える風景は、ずっと私が守ってきたものとよく似ていたのだから。

19　ととのえる幼女

鹿の角を持つ男性は、鹿ではなく麒麟という聖獣の力を持っているらしい。

しかも彼はお祖母様と同じく、神子として青竜さんの側にいるんだって。

「青竜ノ宮様は真面目すぎますから、誰かが息抜きをさせてあげないと大変なのです。私が言うのもどうかと思いますが、青竜ノ宮様をよろしくお願いします」

「承りました。某も青竜ノ宮様に関しては、白虎ノ宮様のように分体で旅行などすればいいと思っているのですよ」

お祖母様の言葉に麒麟の神子さんは苦笑しながら返すと、離れた場所で白虎さんと会話している青竜さんに慈愛を含んだ視線を向けながら続ける。

「実は某、神子ではありますが特定の宮様に仕えているわけではないのです。青竜ノ宮様が仰るには、ご自身に巫女は不要とのことでした」

「……」

お祖母様が黙ってしまった。

たぶん、自分のせいかなーとか思っているんだろうなぁ。

そうだとしても、お祖母様の選択は間違っていなかったと思う。だって、あんなに素敵なお父様を産んでくださったのだから。

「ナデシコ様……いえ、ナディヤ様の帰る場所を残したかったのでしょう」

「……！」

「大丈夫です。先ほど配下を増やすと青竜ノ宮様が仰られました」

「そう、ですか……よかった……」

麒麟の男性は淡々と話しているけど、内容はけっこう重たいなぁ。

そして委員長タイプの青竜さんに、爽やかヤンデレ要素が追加された気がする。

「今回のことで心の整理がついたと思います。ナディヤ様には感謝いたします」

「いえいえ、こちらこそ勝手に飛び出して迷惑をかけてしまいましたね」

稀代の巫女だったお祖母様も、きっと今回のことで心の整理がついたと思う。

よかったね、お祖母様。

ちなみに……ムキムキマッチョなメイアンさんも神子なんですって。配下が皆そうなるのかと思ったら、適性がないと神子や巫女にはなれないと言われたよ。

ああ、メイアンさんが困っていたのは国外だったからか。国内なら魔女にどうこうされていなかったかもね。

ところでお祖母様の加護は、どのような動物だったのでしょう？

自分の頭に生えている子猫の耳をさわりながら考えていると、モモンガさんが後ろに控えていたオルフェウス君の頭からふわりと飛んできた。

「きゅきゅっ（主、この豆菓子がうまいぞっ）」

まったくもって、モモンガさんの脳内は食べ物のことばかりだね。

でも、せっかくおすすめされたのだから、いただきたいと思います。

茶色のジャムのようなものの中に、ピーナッツのような豆が入っている。これはいったい……。

「きゅっ（炒った豆を調味料に交ぜたと言っておったぞ）」

「ちょうみりょう……」

取り分けられた皿の上に同じものがあったから、少しだけ摘んで食べてみる。

甘くてしょっぱくて、なんともふくよかな、この味わいは……味噌！

感動のあまり震えている私に、いつの間にかお祖母様の横にいた青竜さんが声をかけてくれた。

「ここにあるものは土産用のものもあるので、ぜひ」

「あの、おかしじゃなくて、ちょうみりょうがほしいです」

「味噌が気に入ったのですか？　よい蔵から取り寄せているので一緒に包んでおきましょう」

「ありがとうございます！」

木の実との組み合わせもおいしいけど、そのままの味噌もほしいのだ。フェルザー家の料理人さんたちが、きっと味噌を使ったおいしい料理を作ってくれるはず。

お父様の口に合うといいなぁ。

「きゅっ（氷のは主が喜ぶのなら文句はないと思うぞ）」

そうかなー？

「ところで、白虎が魔力を安定させたというのは、貴女のことですか？」

「あい！」

青竜さんの問いかけに、元気よく返事をする幼女でございますよ。

「もしや魔力だけではなく、心の安定も必要だと思ってはいませんか？」

「こころ？」

「白虎のことだから少々乱暴な方法だったかもしれませんが、結果大丈夫だったと思います。彼女はかき回すことで場を安定させる力の使い方をしますから」

かき回して安定って、少々じゃなくてけっこう乱暴だと思うよ。

「もう、だいじょうぶです」

「それは何よりですが、細やかなところまでは手が届かなかったのでしょう。貴女の保護者に相談して、もし不安なことがあればいつでも相談してください。ナデシコの孫ですから特別です」

「あの、わたし……」

「よくわかっていますね、青竜ノ宮様。ユリアーナちゃんは私の大事な孫なのです」

「おばあさま……ありがと、ございましゅ」

血の繋がりのない私を、ここまで可愛がってくれるお祖母様に感謝しかない。そして最後に噛んでしまったけどしょうがない。

やたら目から水が出てしまうのも、しょうがないことなのだ。


青竜さんから滞在許可証の木札をゲットした私たちは、お祖母様と入れ替わりに戻ってきたお父様と一緒に宿へと向かう。

宿への移動は、ちゃちゃとセバスさんが精霊を使ってくれたよ。

泊まっていけば？　と言われたんだけど、滞在予定の宿には気になる施設があったのだ。

「じょうきのおふろ！」

「ユリアは洞窟(どうくつ)風呂とやらが気になっていたのか？」

「あい！」

セイラン町にある温泉は褐色（かっしょく）の湯で、鉄分を多く含んでいるそうな。

滞在する宿のお風呂はすべて温泉を使っているとのこと。その中の施設に、洞窟を利用したスチームサウナがあるという。

たしか前世のお風呂の文化だと、スチームサウナは歴史として古いものだったような気がする。うろ覚えだけど。

「そうか。さっそく利用しよう」

「旦那様」

「……わかっている」

お父様。幼女とはいえ、私も淑女（レディー）の端くれでございますのよ。

当たり前のように抱っこして移動しようとするお父様の腕から、さっと奪ってティアに手渡すセバスさん。はやセバ。

部屋で謁見のために着たドレスをティアに脱がせてもらい、いつものワンピースに着替えたら、いざお風呂へ。

基本は宿を利用している人だけが入浴できるとのことで、今は私たちの貸切状態だ。

造りは前世でよく利用していたスパ施設クラシック版といった感じ。石鹸（せっけん）類だけではなく、ドライヤーのような魔道具や冷たい飲み物なども揃っているのが素晴らしい。

この国の日本人（仮）神様の執念を感じますな。

手伝いを申し出てくれるティアに「ひとりでできるもん！」とばかりに魔力を使い、ちゃちゃっと体を洗ってから紅茶のような色のお湯にざぶりと入る。

ぬるめの設定温度が幼女にはありがたい。

「せっかくですから、洞窟にあるという蒸気風呂にも入ってみましょうか」

「あい！」

ティアの申し出をありがたく受けて、さっそく専用の湯着に着替えた私たちは案内の看板に従って洞窟に入っていく。

だんだん蒸し暑くなるなぁと思っていたら、奥には女性がタオルを持って立っている。こ、これはもしや……。

「いらっしゃいませ！　こちらに座ってください！」

「は、はい」

「あい！」

岩で作られた椅子に布が敷かれているので、その上に恐る恐る座るティアの隣でワクワクする私。

女性が焼けた石に水をかけるとものすごい量の湯気がたちのぼり、一気に周囲の温度が上昇する。その熱気を間近で浴びながら、女性は持っているタオルをブオンブオンと振り回して洞窟内の蒸気を流していく。

「これがネッパーシですか。すごいですね」

「ふぉぉ」

ブオンブオンとタオルを振り回す女性は、まるで踊り子のように舞っているのが楽しい。

あー、異世界でも「ととのう」体験できるとは思わなかったわー。

これは気持ちがいいぞー。

20　いつかの轟音を聞く幼女

異世界の宿の朝食が「ザ・和食」だと、不思議な気持ちになりませんか？

おはようございます。ユリアーナです。

昨日は謁見後、宿で蒸気ムンムン風呂に入っただけで寝落ちしてしまった幼女です。

タオルの舞いが、すごくてすごかったです。（語彙力）

「ユリア、ゆっくり休めたか？」

「あい！」

「昨日は夕食をとっていないだろう。たくさん食べなさい」

「あい！」

小鳥の胃袋なので大量には食べられないけど、白米とお味噌汁は優しい味なので、量はいけそうですお父様。

「きゅきゅっ（主、昨日の豆菓子を所望するっ）」

モモンガさん、前から思っていたけど……ちょっと太ってきてる？

「きゅーっ（そ、そんなことはないっ）」

私の膝の上できゅーきゅー怒っているモモンガさんを、お父様は素早く掴んで放り投げる。オルフェウス君、ナイスキャッチです。

「ん？　毛玉、太ったんじゃねぇか？」

「きゅきゅーっ（お前までーっ）」

仲良しのオルフェウス君にまで太ったと言われ、ショックを隠しきれないモモンガさん。

申し訳ないけど、私は朝食に集中させていただきますよーっと。

「それで、次に向かうのは北の町になるとか」

「そうなの。妾と青竜、そして玄武からの木札をもらってから朱雀に会うの」

子白虎シロさんは、宿の人から刺身の盛り合わせをもらい大喜びで頬張っている。こんなんでも国を守護している存在だし、一緒にいる私たちにまでまわりの人たちは優しくしてくれる感じだ。

「当たり前なの！　妾が付き添っている客人に、おかしなことはさせないの！」

おお、シロさんカッコイイ！

「刺身おかわりなの！」

おお、シロさん食い意地が張っている！

「これは北のリョクレイ町でとれた魚なんですよ。たっぷり食べてくださいね」

笑顔で教えてくれる宿の女性をよく見てみれば、昨日タオルをブオンブオンしてた人だった。

よっ！　天下最強のネッパーシ！　どうでもいいけど「ネッパーシ」ってもしかして「熱波師」のことだったりする？

ともかく。北の町の魚は刺身にしてもおいしいってことか。これは期待大ですね。

北といえば、前世の北海道とか青森秋田などなど……おいしいものが盛りだくさんのイメージです。サーモン、イクラ、ウニ、エビ、カニ、イカ……。

「きゅっ（主、ヨダレがたれておるぞ）」

おっといけない。乙女のピンチは突然にくるものだね。

お父様はいつもと同じように箸を使って優雅に食事をしているけど、お屋敷の時よりも進みが速いから和食が気に入っているのかも。

「ユリア、いつもより多く食べているようだな」

「あい！　おいしいです！」

お屋敷のご飯もおいしいけど、バターが強い時は少しの量でお腹いっぱいになってしまうのです。

東のセイラン町での用事は終わったので、今日は北のリョクレイ町へ向う予定だ。

外交を目的としているからしょうがないけれど、ゆっくりと観光しながら旅行もしてみたいところ。

「西とは違って、東の町は見どころが少ないの。さっさと北に行くといいの」

「こら、シロ。そんなこと言ったらダメだろ。刺身はこれで終わりだぞ」

「えー！　おかわりほしいの！」

「さっさと行けと言ったのはシロだろうが」

偉そうにしている子白虎シロさんに対して、オルフェウス君が教育的指導をしているのが面白い。シロさんは神の眷属なのに、そんな雑に扱っていて大丈夫なのかしら？

「豹と虎って、どちらが強いのでしょう？」

「ティア……そういうことじゃないとおもう」

天然発言をしているティアに一応ツッコミを入れた私は、しっかりとお味噌汁を飲み干したのでした。ぷはーっ！　うまい！

北の町行きのデンシャは、屋根がしっかりとついている。

他のデンシャは観光用なのか屋根がオープンなものもあったけど、北に行くのは防寒対策がしっかりしている感じ。

せっかくなので『東の国』の服を着たいと思っているけれど、くり返しますが外交で来ている私たちなのです。

東のセイラン町よりも気温が低いという情報をもらっているので、厚手のコートを用意してもらったよ。オルフェウス君とティアもフード付きマントを羽織っているけど、耳があるせいでフードは邪魔になるっぽい。

私も猫耳があるから、フードがあるとワサワサしちゃうんだよね。お父様とセバスさんが羨ましい。

「リョクレイの町は雨が多いの。冬も寒いから、デンシャも合わせているの」

「なるほどー」

子白虎シロさんは私たちの旅に付き添ってくれるらしい。

青竜さんにも「妾が見張っておくの！」などと豪語していたけど、モモンガさんの見立てだと普段おいそれと出歩けないから、ここぞとばかりに楽しんでいるのではないかって話だ。本当のところは謎だけどね。

「リョクレイ町は海鮮も美味だけど、酪農（らくのう）も盛んなの！　ぜひ、肉やチーズを食べてほしいの！」

うん。モモンガさんの説が正しい気がするよ。バッチリ観光する気満々って感じだね。

お肉と聞いて、オルフェウス君が反応しているね。

オルフェウス君はお肉大好きだもんね。将来はきっとムキムキのイケオジになること間違いなしだね。

そっか。乳製品も豊富にあるのは、楽しみすぎる。

そういえば青竜さんからは、味噌だけじゃなく高級なお醤油もいただいた。西のマシロ町でも醤油などは手に入ったけど、前世の私は知っている。

出来たての醤油は、風味や味が断然美味しいのだと。

「ユリア」

「あい、ベルとうさま」

「この国の物に、ずいぶんとご執心のようだな」

んん？　ご執心、とは？

「ええと、ごはんおいしいです」

「……そうか」

なんということでしょう。

最近はあまり見なくなったお父様の眉間のシワが、深々と……くっきりと刻まれているではありませんか。

デンシャ内には私たちしかいない。だから外気よりも室内の温度が低いとか、きっと些細な問題に違いない。

お父様はすっくと立ち上がると、私を椅子に座らせてから自分は床に膝をついた。

いや、ちょっと待ってください。今、何が起きているのか把握できていないのですが。

「ユリア、教えてくれ。何が欲しい？」

「ふぇっ!?」

「お前が望むことは、すべて私が叶えてやりたい。何が欲しい？　何をしてほしい？」

私の手を取って懇願するように見上げてくるお父様。その色気たるや……たるやでございますぞ……!!

頬が熱くなってくるのを止めたくて、お父様の後ろで控えているセバスさんに視線でSOSを出していると、口パクで「む・り・で・す」と言われてしまったよ！　うわーん！

「ユリア、言ってくれ。私に何をしてほしい？　何をしたらお前は喜ぶ？」

「なにをしたら……えっと、えっと……」

どうしよう。何を言ったら正解なんだろう。お父様が喜ぶことを言わないとダメだよね？

最近「お父様に愛されよう大作戦」がご無沙汰だったから、急に言われても何も出てこないよう。

わーっ！　どうしようどうしよう！

「わたしが……ベルとうさまにしてほしいことは……ずっと、ずっと、そばにいてほしいにゃっ!!」


その瞬間、いつか落ちた雷のような音がした。


周りの人たちが慌てる中でお父様の熱烈な抱擁を受けている私は、久しぶりに噛んだため羞恥に悶えている。

なんということだにゃー！（恥）

「ユリア……私の唯一……。絶対に離れないことを、私は私自身に誓おう」

「ベルとうさま！」

ひっしと抱き合うお父様と私を、呆れて見ているオルフェウス君。

その横で感動のあまり涙を流すティアに、セバスさんがハンカチを渡しているのが見えた。

この二人もだんだん距離が近づいているような気がするんですけど。気のせいじゃない気がするんですけど。

21　ケモ耳の謎を知る幼女

ひとしきり抱き合った後、流れるように私を膝抱っこするお父様は、いつもの表情に戻った。

そして私たちのまわりには、（感動しているティア以外）呆れた様子のセバスさんたちがいたよ。

つい、二人で盛り上がっちゃってすみません。

最近セバスさんはお父様の暴走モードの時だけ感情を隠さなくなったような気がするなぁ……なんて。

このような空気の中でも、お父様はまったく動じる事なく私の頭を撫でている。ついでに子猫の耳もうりうりされたよ。

「うむ。ユリアが天使のように愛らしい……いや、天使そのものだという定期確認は完了した」

「侯爵サマはお嬢サマ天使説の確認作業で雷を落とすのかよ……って痛ぇっ！」

お父様の言いように思わずツッコミを入れたオルフェウス君は、どこからか見えない攻撃をくらってしまっている。気持ちはわかります。私もオルフェウス君の立ち位置にいたらツッコミ入れていると思いますから。

しかも定期確認って言われたような気がする。どういうことなのでしょう。

「お嬢様、これはフェルザー家の現当主と次期当主のお二人が、血の掟に刻んだものでございまして」

ごめんなさい。幼女であるからか、セバスさんの説明にまったく理解が追いついておりません。

ちらっとオルフェウス君とティアを見たけど、二人とも顔に「理解不能」って書いてある。よかった。私だけじゃなかった。

「私も常々思っていたことを、ヨハンからも進言された。定期的にユリアの愛らしさについて確認と記録をし、日々の成長についてしっかりと観察するべきだということを」

「せいちょう……かんさつ……」

「お前は魔力を多く持っている。同年代よりも成長が緩やかだ。何かあってからでは遅いから、気づきは多い方がいいだろうと」

なるほど。これはお父様とお兄様の愛なのですね。

少し離れたところから「それってお嬢サマと一緒にいられない坊っちゃまの苦肉の策では？」「シッ！　それは言わないお約束というものですよ」なんてやり取りが聞こえてくるけど、なるほど愛なのですねってことにしておこう。うん。

北の方角に向かって、田園の中をコトコトと進むデンシャ。

これらの移動時間を打ち合わせに使うということで、周囲の安全確認をモモンガさんに頼んで精霊たちに活躍してもらうことにした。

あまりモモンガさんに頼らないお父様が珍しく許可してくれたよ。そして私たちの中にちゃっかり子白虎シロさんがいる件。いいのかしら？

「何でもいい。気づいた事はないか？」

「気づいたこと、ですか」

「この国のことかよ、でしょうか、侯爵サマ」

お父様の問いかけに対し、ティアとオルフェウス君は同時に考え始める。

私はというと『東の国』に関しては同郷の日本人が神をやっていそうだなってことくらいかな。この場ではちょっと言いづらいから言わないけど。

「巡礼神官として、で良ければ……」

「ティア様、ぜひお教えくださいませ」

自信なさそうに話すティアに対し、セバスさんがさりげなくフォローを入れている。お父様はちょいちょい言葉が足りないからね。しょうがないよね。セバスさんからティア限定の愛のフォローだよね。

「神々からの声が届くところはありますが、限定されていることはお伝えしております。ですが、なんというかデンパというものが妨害されているとか……」

デンパ？　電波？　なんだろう。この世界での神託って、Ｗｉ－Ｆｉスポットとか必要なのかしら？？？

ティアの言葉に頷いているお父様は、オルフェウス君に視線を向ける。

「護衛視点からでは？」

「あ、はい。護衛としては、あまりにも仕事がないので戸惑ってる、ます」

オルフェウス君の言葉に私も頷く。一応「冒険者の護衛」をしていたから気づいたけど、この国に入ってから魔獣の気配がほとんどないんだよね。つまり、護衛の仕事が少なくなるってことになる。

こてりと首を傾げる私を、お父様が「気づいたか。えらいぞ」と言ってくれたよ。

まさか、先回り褒め……だと⁉

「あー、ドヤ顔のお嬢サマも気づいている魔獣の件もだけど、この国の人間もおかしいよな。人が集まればどこにでもある悪意っつーのが少なすぎる、です」

ドヤ顔なんてしてないもん！

「そうだな。どのような表情のユリアも愛らしい」

いや、そういうことじゃなくて、ですね……。

その他、セバスさんの気づいたことは何だろうと思ったけど、気づき次第報告しているよね。さすセバ。

「人の悪意に関してで言うと、我らの神が加護を与えた者たちの中で害のあるものは即監獄へ送るようになっているの」

「へぇ。侯爵サマや師匠は？」

「そこは手が届かないから妾が付き添っているの。何かあった時に、すぐ助けたりするためなの」

なるほど。見張っているというよりも、加護という「目」が付けられないから安全のためでもあるのか。

でも、お父様とセバスさんがピンチになったとして、子白虎さんに対処できるのだろうかという疑問が。

「今回は護衛って言いたいけど、ちょっと強すぎる二人なの。妾の本体でも、ちょっと難しいの」

そうでしょう。そうでしょうとも。

今度こそドヤ顔で頷いている私の頭を撫でるお父様は、意見が出揃ったところで再び話し出す。

「誰の視点からでも気づくことがあった。つまり、この国は不自然なことが多いということになる」

「きゅっ（我から言わせると不自然だらけであるぞっ）」

お父様の言葉にモモンガさんがここぞとばかりに主張している。

そういえば事前に情報を集めようとしたモモンガさんが、精霊界で『記憶乃柱（ログライン）』に触れたけど、何も得られなかったと言ってたよね。

言っておいたほうがいいような……でも子白虎シロさんの前では言いづらい。

ぐぬぬ、こうなったら……。

「ベルとうさま。きょうはずっと、ごいっしょしたいです」

突然ブワッと舞い散る花びら。

いや、これはフワフワな雪みたいなものだったよ。デンシャ内は暖かいからすぐに解けたけど、この感情パターンは初めてで驚いたよ。

「セバス」

「本日の執務は取りやめと、マリク様にお伝えしておきます」

あ、お仕事の邪魔しちゃったよ。

そして少しだけ口元を緩めたお父様は、私をむぎゅっと抱きしめる。

周りの生暖かい目がつらい。つらすぎる。

違います！　甘えたいとかそういうのじゃなくて、お父様に内緒のお話があるだけなんです！

「ずいぶんと仲良しなの」

違うと言いたいけど仲良しに見えるのは嬉しいから強く否定できない！

と、とりあえず宿とかでお父様と二人になったタイミングで報告しよう。そうしよう。ぐぬぬ。

旅についてはちょっと問題になりそうなことはあるけど、基本的に白虎さんの分体に助けられている。

シロさんがいれば、ケモ耳や尻尾が見えないお父様とセバスさんにケチつける人はいないし、お店や宿で過剰なくらいサービスをしてもらえたからね。

そういえば……お屋敷近くの森にいる獣人族たちと、この国のケモ耳たちとはどう違うんだろう？

「きゅきゅっ（主は気づかなかったのか？）」

え？　何のことだろう？

「きゅっ（あの黒髪を見てみよ）」

黒髪とは、オルフェウス君のことかな？

お父様にお膝抱っこされながら、オルフェウス君をガン見する幼女。しばらくして、モモンガさんの伝えたいことに気づく。

あー、確かに獣人族とは違うね。オルフェウス君の頭にはケモ耳、顔の横には人間の耳がしっかりと付いているもんね。

ということは、この国に獣人族が来て加護を受けたらどうなっちゃうんだろう？

うんうん唸っていると、子白虎シロさんが尻尾を振りながら笑っている。

「盗み聞きする気持ちはなかったの。でも今、獣人族という言葉が聞こえたの」

「しっかりきかれてる！」

「ごめんなさいなの。でも安心してほしいの。過去に獣人族を招待したことがあるんだけど、お断りされてしまったの」

そうだったんだ。ケモ耳が四つになるとか考えちゃったよ。

なぜ断られたかというと、そもそもこの国の加護は「人間性」というものが出るんだって。つまり、オルフェウス君の黒豹も、ティアのロップイヤーラビットも、彼らの性格から来ているということになる。

獣人族は個々の人間性よりも種族性というものがあって、この国の加護システム（?）とは合わないみたい。

それを本能的に感じたからか、この国に招待したけどお断りされたとのこと。

……むむっ？？？

「なんで、わたし、こねこだったの？」

「たぶん、気まぐれだったり浮き沈みが激しいとかなの。子猫になったのは、まわりから庇護されているから……かもなの」

えーっ！　じゃあ私の加護が子猫だったのは、まわりのせいってこと⁉

「そして中身も甘えた幼女だからだと思うの」

なんだとぅっ！

22　モモンガさんの行く末を祈る幼女

お父様（トップクラス）の安定感（きんにく）でお膝抱っこされ、うとうとしていたらあっという間に『東の国』北のリョクレイ町に到着していた。

デンシャ内が暖かいから、外にでると寒くて震える……前に、しっかり防寒機能の魔法陣が刻まれているポンチョを羽織りましたよ。

寒いのは苦手です。へっくち。（くしゃみ）

「雪はまだみたいですね」

「まだ秋だから、これからなの」

興味深そうに周りを見ているティアに、ちゃっかり抱っこされている子白虎シロさん。モモンガさんが「あのちょうどいい凹凸（おうとつ）は我の場所なのに！」とかブツブツ言ってるけど……ダメだよ、某家の影の長っぽい人から殺気がきているよ。

慌ててオルフェウス君の頭に避難しているけど、そこも危ないのではと思うなど。（思うだけで

基本的に放置）

決まった道を移動するデンシャは、馬車とは違って数日ほどかかる距離もかなり短縮できる。特急はさらに速いから数刻くらいで到着したよ。前世の新幹線っぽいね。

「ここを治める玄武には妾が連絡しておくの」

「よろしくー」

「お任せなの」

お父様抱っこのまま声をかける私と、ティア抱っこのまま返事をするシロさん。

胸囲豊かという共通点が……いやいや何でもないですよ。

ちょうど昼をすぎたくらいだから何かを食べようとやってきたのは、なんと牧場だった。

デンシャを降りるとすぐ目の前にある牧場は、とにかく広い。すごく広い。そして酪農のための建物以外は見えないから、町という感じがまったくない。

牛、馬、羊、豚、鶏（にわとり）などなど、酪農家が多いというリョクレイ町は、東のセイラン町とはまた違った風景を見せている。

なんというか、西洋の景色に近い感じ。

「ここは他の町とは違って石造りの建物を多くしているの。雨が少ないから乾燥しているし、寒い時期が長いからなの」

「なるほどー」

オルフェウス君が巨体の耕馬を見て大興奮しているのが面白い。確かに、あれを乗りこなせたら強そうだよね。

　お屋敷にいる馬たちは前世のサラブレッドほどではないけど、ここにいる馬たちよりは細身だ。そこまで重いものを引かせないのと、いざとなったら単騎で走らせる必要があるからだ。

　私たちに気づいた馬たちが興味津々に寄ってきた。

　ん？　ちょっと待って。縮尺おかしくない？　柵が大きいなって思っていたけど、馬が大きいからだったみたい。

　足も太いし、蹄も強そう。オルフェウスがさっそく懐かれていて、マントや髪をモシャモシャされているのが面白い。

　高原のお屋敷には聖獣ウコンサコンがいるし、馬っぽい生き物は必要ないんだけど……この馬に乗っているお父様をちょっとだけ見てみたい気持ちがムクムク。

「ここの馬はヴァンエーという競走馬なの。重いものを引かせて速さを競うの」

「なぜ、わざわざ重いものを引かせる？」

「我らの神が『ちから、いず、ぱわー』だと言っていたの」

　いやいや「力」も「パワー」も同じ意味ですやん！　というツッコミ待ちだろうか。

　ヴァンエーって、もしかして「ばんえい競馬」のことだったり……。

「ほう、なかなか良い馬だな」

「購入することもできるの。あの移動方法なら馬に負担もないから、欲しいなら交渉するの」

　馬に乗っているお父様を見たことがないから、ちょっとどころじゃなく見てみたい気持ちがムクムクしてきましたぞ。

「交渉してくれ。数頭ほど屋敷に置いておこう」

「まいどありーなの」

いつの間にか売り手のようになっていた子白虎シロさん。

うっかり心の声が聞かれてしまった私は、反省しながらもお父様の乗馬姿を見るのが楽しみだったり。

「きゅっ（まったく主は、また顔に出ておったぞ）」

うそーん！

しょんぼりとしていたら、モモンガさんが戻ってきて慰めてくれたよ。ありがたくモフモフさせてもらおう。

……ちょっと待って。モモンガさん、毛玉の毛の部分が、思ったよりも少ないような？ 毛玉に指を埋めると、すぐ肉の部分に行き着くような？

「モモンガさん、ふとった？」

「きゅーっ⁉（そんなばかなっ⁉）」

だっていつも何かしらの木の実を食べているし、お茶の時間は私よりもお菓子を食べているし、食事の時間は果物もたっぷり食べているし。

それに、運動しているように見せかけて風の精霊に乗っかっているだけだし。

「ベルとうさま。モモンガさんが、けだまじゃなくて、おにくだまになってます」

「ほう……そのように無駄な肉を付けておいて、よくユリアと契約しようなどと……」

「きゅきゅっ（ちっ、ちがうのだっ）」

慌ててきゅーきゅー鳴くモモンガさんの涙ながらの訴えに耳を傾ければ、どうやら冬眠の時期がきているそうな。

でも今は無理やり起きているから、動物としての本能のコントロールがうまくできないんだってさ。

「すればいいんじゃないですか？　自然の摂理を曲げてまで起きている必要はないと思いますけど」

「このままムチムチになるよりは寝たほうがいいんじゃないか？」

ティアとオルフェウス君の言葉に、モモンガさんは頬どころか体全体を膨らませた。

「きゅーっ（愚か者！　我は主を守るためにっ）」

「ユリちゃんの護衛は私たちがやりますよ」

やいのやいのきゅーきゅー言い合っているモモンガさんたちに向かって、セバスさんが鶴のひと声「昼食にしますよ」を発動。

全員がセバスさんの後ろについて行くのが面白い。

「ふふっ」

「ユリア、楽しいか？」

「あい！」

念願だったお父様と『東の国』を旅行することが実現したので、とてもとても楽しいですよ！

昼食は秋空の下、バーベキュー形式でいただくという、この世界では初めての経験をする私（ユリアーナ）と愉快な仲間たち。

　オルフェウス君は冒険者だから野営とかでやっていると思いきや、ほとんど保存食で済ませてしまうとのこと。料理とかは大人数の時にスープ作るくらいだってさ。

　お父様も同じく、こんなに煙を出して大量に肉を焼くのは経験したことがないと言われたよ。えへへ、初めて同士ですな。

　とはいえ、前世でもバーベキューなんてほとんどやらなかったよね。そもそも陰キャと対照的なイベントって感じだし。（偏見）

「んぐんぐ、玄武から連絡が返ってきたの。明日の、んぐんぐ、昼過ぎくらいがいいって、んぐぐ、言っているの」

「おい。食うか話すかどっちかにしろよ」

「んぐぐ！」

　漫画のように焼かれたお肉に対し、果敢（かかん）にかぶりついている子白虎シロさん。

　牧場に併設された食事処ではバーベキュー用の食材を提供してくれるから、事前に自分たちであれこれ買わなくても大丈夫だ。

　そしてお店の人（プロ）が絶妙な加減で焼いてくれるから、とにかくおいしい。嬉しい。ありがたい。

　いや、私たちは他国の貴族だから、接待をされて当たり前というのはあるんだけど……つい前世と比べてしまうよね。

　食材として出されたのはお肉だけではなく、チーズやバター、それに野菜もたくさんある。

鉄板の上に丈夫な紙を使って、前世のホイル焼きみたいな料理を作ってくれたのには感動した。

バターに醤油をちょっとかけただけで、びっくりするほどおいしくなるよね。

モモンガさんは涙ながらに「今日はこれだけにするのだ」と言って、大事に木の実を食べている。

かわいそうだけど、太ったら危険だからなぁ。運動するか食事制限するかって聞いたら、両方するって。無理はしないようにしてね。

「ユリア。これは仮にも精霊獣（中身は精霊王）だ。食べなくても自然に流れる魔素などから糧を得ることができる」

「はっ！　そういえば！」

すっかり忘れていた。モモンガさんは中身は精霊王だけど、外側は精霊獣っていう設定だった。

実際、食べるのは生きるためじゃなくて娯楽（ごらく）みたいなものだったはず。

「きゅっ（ちっ、バレたのだ）」

モモンガさんめ。心配させたばつとして、しばらくお菓子は抜きってことにしよう。

「きゅーっ（そんな殺生なーっ）」

きゅーきゅーと鳴いているモモンガさんをセバスさんが華麗に摘み上げて、どこかへ運んで行ったけど……。

オルフェウス君が青い顔で「たぶん、すぐに元通りの毛玉になるぞ」と言っていたので、詳細は聞かないでおこうと思います。

がんばれ！　モモンガさん！

23　甘やかし布団で寝る幼女

日本人の心の安寧といえば……そうですね！　温泉とうまい酒と肴ですね！

幼女の体である今、私はせめてお酒以外の安寧を求めているわけでして。

「ここの温泉は白いお湯なのですね」

「セイランのおんせん、こうちゃみたいだったのにねー」

そういえば、獣人族の居住区にある温泉施設も、似たような水質だったような……。

本日は山の中腹に建てられている宿で、料理も景色も楽しめると評判なんだってさ。そして、山の向こうは海になっていて、魚は専用の地下トンネルを使って町に卸されているとのこと。

お肉もいいけど、新鮮なお魚は「ここでしか味わえない」という特別感があるので、あると嬉しい幼女です。

「東のセイラン町の海鮮も美味しいと思いましたが、ここでもおすすめされますね」

「ばしょによって、いるさかなと、いないさかながいるからねー」

「いつも思いますが、ユリちゃんは本当に物知りさんですね」

「そんなことないよー」

「宿の人はお酒もおいしいと言ってました」

「ティア、のむの？」

「いえ、私は父から外で飲むことを止められてますから」

この世界の神官は禊（みそぎ）や祭事の前などに食事制限をすることもあるけど、基本的には自由だ。そして子どもだって、水で薄めた果実酒くらいは皆飲むのだ。

私はまだ飲ませてもらえないけどね！　成長を止めるかもとか言われたら、まだ早いって思っちゃうよね！

ティアは箱入りだから、酔っ払って誰かに何かされないようにって事なのかな。

私たちが入っている露天風呂は宿の屋上にあって、見下ろす景色は素晴らしいものだ。牧場の緑が広がる中で馬や羊が走っていたり、ポツポツと見える家がレトロなおもちゃみたいだ。

宿に向けて縦に走っているデンシャの道が風景に馴染んでいて、時おり走るデンシャがミニチュアのように見えるのが面白い。

「町の中心が山の近くにあるのも驚きました」

「ふしぎだよねー」

「昔は大きな湖だったの。でも大地の動きで水がなくなったの」

ちゃっかり一緒に温泉を楽しんでいるのは子白虎シロさんだ。

神の眷属に性別はないらしいけど、なんとなく青竜と玄武は男子、白虎と朱雀は女子という感覚だという。性別の感覚という表現は微妙かなって思うけど、明確な判断ができないからしょうがないのだ。

シロさんは「ぷふーっ！」と鼻でため息を吐くと、お湯の中をスイスイ泳いでいく。

あ、ずるい。私は泳ぐの我慢しているのに。

「ふふっ、シロさんは白いから、お湯と同化しているみたいですね」

「そうだねー」

でも、お肌が白いティアのたゆんたゆんも、お湯に浮いて丸い餅（もち）のようになっておりますよ。つついてもいいですか？


宿の部屋は大きな窓ガラスで、風景が一望できる特別なところを案内されている。

お風呂を終えて部屋に戻ると、お父様は窓近くのソファーに座り、ゆったりとお茶を飲んでいる。

イケメンと素敵な景色……絵になりすぎてしまうやつ……。

今夜はお父様と一緒の部屋にしてもらっている。幼女が甘えている……わけではなく、『東の国』についてゆっくりと話し合いたいと思っただけですよ。本当ですよ。

夕食前に軽くお話ししたいと事前に伝えていたので、セバスさんが私の分のお茶を淹れてくれたよ。ありがたや。

モモンガさんの行動についての報告なので、毛玉は今、私の肩に乗っております。

「さて、ユリアは私に話したいことと、聞きたいことがあるのだろう？」

そうです！　そして幼女モードだと話しづらいので、冒険者モードになります！

「報告が遅れてすみません。モモンガさんが精霊界で『記憶乃柱（ログライン）』に触れて、『東の国』の情報を集めようとしたけど、なにも得られなかったそうです」

「ほう、やはりそうか」

頷くお父様に驚いちゃうんですけど。モモンガさんが先に話していたのかな？

「きゅっ（我は何も言っておらぬ。氷独自の情報であろう）」

なるほど、さすがお父様ですね。さすベル。

モモンガさんが精霊界で『記憶乃柱（ログライン）』に触れたことは驚いたけど、よくよく考えたら精霊王だからある程度は大丈夫なのかもしれない。

それでも心臓に悪いから、あまりやらないようにと言っておいたよ。

「護衛からも報告があっただろう。魔獣の気配や人間の悪意が感じられないと。そして国中の空気が神殿内のように清浄にも拘わらず、我らの信仰する神の声が届かない」

「はい。オルフェウス君とティアが言ってました」

「私はそれが不自然だと感じた。つまり、ここは「取ってつけたような」国だということだ」

「取ってつけたような国、ですか？」

こてりと首を傾げる私を、お父様が流れるような動作で膝抱っこしてくれる。

いや、今は冒険者モードなので遠慮しますって言おうとしたけど、話の腰を折りたくないのでそのまま続けてもらう。

「確かに、国が違えば空気も違うものだ。我らの国とビアン国では湿度が違うし、北の山も気温が違う。しかしこの国の空気はどこよりも綺麗すぎる。悪意などの感情があるのは人間として普通のことだ。しかし、この国の空気には感じられない。……アズマ国については学んでいるか？」

「はい。お兄様が教えてくれました。この国から出た人たちが興した新しい国だと」

「そうだ。あの国も『東の国』と同じような建物や文化などあるが、善人も悪人もいる。高位の神官であれば場所を問わず神々の声を聞くことができるという」

お父様の言いかただと、まるで……。

「不自然であるこの国の秘密を調べる必要がある、ということですか？」

「ああ、ユリア……ユーリのためにな」

「え？」

今回、お父様は外交で来ているから、国同士のやり取りをする前に情報収集をしようって話しじゃないの？？？

「お前は『東の国』の食事や文化を気に入っているだろう。いつか世界を見てみたいと言っていた時の話だ」

「あっ、はい」

そういえばお父様と、お屋敷でお散歩しながら会話したことがあったような……気がするような……？

まさか、お父様が色々と気にしていた理由は、私のためってことですか？？？

すかさず腕のリボンを外し、成長の魔法陣を解除した私は、感極まってお父様に思いきり抱きつく。

お父様は私を甘やかしすぎだと思うし、毎日甘すぎてダメな幼女になってしまいそうな危機感をおぼえたりもする。

でも、幼女である今だけでいいから、このまま甘々の「甘やかし布団」で寝かせておいてほしい。

問題を棚上げした感じだけど、棚卸しの時期になったら起こしてもらえばいいよね。

未来の自分、ファイト。（フラグ）

「ベルとうさま……ありがと、です」

「ユリア、お前のためにすべてを捧げよう」

すべては重すぎるので、ちょっとだけでいいです。

24　無礼講にも気を抜かない少女

夕食の時間となり、お肉もお魚も楽しめる鍋料理がわんさか並べられております。

昼はレストランになっている場所に案内された私たちは、お座敷だけど掘炬燵（ごたつ）形式になっていたため、正座で足が痺（しび）れるイベントは無事回避したとさ。

宿の人たちが次々と鍋に食材を入れている。最近ビタミンが不足しているような気がするので、新鮮な野菜をたっぷり入れてくださいな。

「お嬢様、こちらを」

「ありがとー」

そっと前掛けを装着される幼女です。

前世なら温泉の後は浴衣でのんびり～ってできるけど、今世ではお貴族様ですからね。ドレスとか汚れちゃうと体裁が悪いというかなんというか……。

あれ？　今気づいたけど、前掛け着けているのは私だけじゃない？

「ユリアは、あの料理を食べたいのだろう？」

そういえば……薄切りのお肉を出汁にくぐらせて食べる鍋料理を、確かにやってみたいと思っていた。しゃーぶしゃーぶってやつ。

自分でやりたいなーと思っていたのがバレていたとか、ちょっぴり恥ずかしい。

そして、いつもお父様やセバスさんにお世話されていたから服が汚れなかったのだと気づいたのも、とてもお恥ずかしい。

箸がうまく使えない私は、トングのようなもので食材を取って鍋に入れようとしてもうまくいかない。

手が！　手が届かないよ！

「ユリちゃん、小さなお鍋を用意してもらいましたから、こっちでいただきましょう」

「うう、ティア……」

その鍋、お子様用だよね？

お子様向けにサイズを小さくした鍋は、心優しくオモテナシしてくれる懐かしき日本の心を感じさせる。

だがしかし。その善意こそが私を地味に落ち込ませるのだ。ぐぬぬ。

「急ぐことはない。ゆっくりと大きくなればいい」

「ベルとうさま……」

部屋では甘えた根性丸出しだった私なのに、優しい言葉をかけてくれるお父様がイケメンすぎる件。

相変わらず、セバスさんは執事（兼、護衛）としてのスタンスを崩すことはないけれど、オルフェウス君とティアは私たちと一緒に食事をとってくれている。

いや、私も一応お父様の護衛として来ているから、本来一緒に食事をするなんてダメなんだけどね。

「お嬢様は冒険者ではありますが、フェルザー家の末席という設定でございますから」

「そうだったっけ？」

セバスさんの言葉に首を傾げる。

そういえば、そんなことを言われていたような気もする。がんばって、私の記憶力。

あと相変わらず私の心を読むセバスさん。さすセバ。

「侯爵サマ、今夜は酒もいいんだ、ですよね？」

「ああ、好きにしろ」

「やったぜ！」

そうなの？　宿の人が樽（たる）とか一升（しょう）瓶とか持って来ているけど、あれ全部飲むの？

さりげなくセバスさんが、お酒に合うような料理を並べているけど……そのグラス、お父様はワインですか？

「米の酒はおいしいの！　妾も飲むの！」

「お？　シロもいけるクチか？」

「呼び捨てするとは不敬なの！」

そう言いながらも、子白虎シロさんはオルフェウス君の隣を陣取っている。私の横では、ティアがお品書きを見て悩んでいる。

「どうしたの？」

「お酒は父から禁止されているので……」

「のまないの？」

「せっかくなので、少し飲んでみたいですね」

そうだよ。せっかくの旅行……じゃなくて、外交の付き添いなんだからさ。

ビアン国ではお酒を控えていたし、今夜は無礼講って感じだからいいんじゃないかな？

「ベルとうさまも、おさけ、のみますか？」

「土産にする」

「なるほどー」

お師匠様や王様、マリクさんにも選ばないとね。

ティアのお父さんもお酒が好きなら、お父様に選んでもらうといいかも。

東のセイラン町からも取り寄せているみたい。北のリョクレイ町もお酒を造っているから銘柄(めいがら)がたくさんありすぎて目が回りそう。

お子様用の鍋をいただきながら宿の人たちがワイン樽を持ち込んでいるのを眺めていると、テーブルの向かいにいるオルフェウス君と子白虎シロさんが上機嫌で「乾杯！」とグラスを掲げているのが見える。

ん？　シロさんはどうやってるの？　あ、尻尾を使っているんだね。器用だな。

お父様は宿の人に数種類のワイングラスを用意させていて、それぞれお酒に合わせて香りを確認している。

服装も貴族の正装に近いから、めちゃくちゃ似合っててカッコいい。

「これはシャンパングラスのほうが合うようだ」

「ご用意いたします」

「グラスはどこのものだ？」

「南にあるシュリ町に工房がございまして、そちらから取り寄せたものです」

「セバス」

「かしこまりました。いくつか工房を見繕っておきます」

素早くグラスを確認したセバスさんが、優美な動作で一礼した。

すると、私の肩にズシリと何かが乗った感触が。

「ふぉっ」

「ユリちゃーん、これ、おいしいですぅー」

「ティア？」

隣を見れば、なんということでしょう。

ほんのり染まった頬と、潤んだ瞳はとろりと溶けてしまいそう。少し開いた唇は何かを求めるようで……。

いかん！　幼女に向ける表情ではありませんぞ！

とはいえ男子に向けたら大変なことになってしまいそう！

ティアは法衣(ほうえ)を着ているから、表情とのギャップがエッッッ……。

「セバス」

「かしこまりました。お嬢様、失礼いたします」

「セバシュ？」

お父様に声をかけられたセバスさんは、私の肩に乗っているティアの頭を優しく支えると、そのまま素早く抱き上げてしまった。

こ、これは!!　いつか見た乙女の憧れ「お姫様抱っこ」では!?

「いやーん、まだのみたいですぅー」

「……いけませんね」

セバスさんの腕から逃れようと暴れるティアが、見ていて危なっかしい。それに色気のある表情を周りに見せたら危ないどころの騒ぎじゃなさそう。

「ティア、だいじょうぶ？」

「ご安心ください。ティア様には言い聞かせておきますので」

「そ、そう？」

新鮮な魚のようにピチピチ動くティアを、いつ用意したのか何かの布でくるりと包み込んでしまうセバスさん。

こ、これは‼　いつか見た「簀巻き幼女」では⁉

さすがフェルザー家の『影』ですね。見事なものです。

二人が退場した今、この場でシラフなのは宿の人たちと私だけということになる。すっかり宴会モードのオルフェウス君と子白虎シロさんは頼りにならないし、何かあったら幼女が対処せねば……。

「きゅっ（我がおるぞ）」

おやモモンガさん。セバスさんのダイエット大作戦中じゃないの？

「きゅきゅっ（明日からなのだ。キリッ）」

そんなキリッとした表情で「明日からダイエットする！　今日は食べる！」と残念な発言をされましても。

「あしたやろうは、ばかやろう」

「きゅーっ⁉（なんですとーっ⁉）」

ショックのあまり固まっているモモンガさんを、膝にのせてモフモフ撫でておく。

幼女の胃袋は小鳥なので、皆よりも早く満腹になってしまうのだ。

「ユリア」

「あい」

「来る」

「あい？」

次の瞬間、建物内の空気が一気に澱む。

お酒を注いでいた宿の人たちは土くれとなり、やがてボロボロと崩れていった。人間が土になった？　最初から？　え、やだやだ怖いよ！

すると膝の上にいたモモンガさんが、ボフンと煙をあげて小人モードになった。

「モモンガさん！」

「主、我と氷から離れるでないぞ」

「オルさまとシロさんは……」

「無事だ」

少しパニックになったけど、ポケットに入れていた成長の魔法陣付きリボンを、かろうじて腕に巻き付けることは出来た。

幼女よりも少女のほうが体力的に安心だからね。

私たちを囲む大量の土はジワジワと形をとっていく。ゴーレムではなく、二足歩行の「何か」が次々に現れる。

なぜ、こんなことになったんだろう。お父様が無事って言うなら皆は大丈夫だよね？

「外から来たモノか」

「氷の狙ったとおりではあるな」

「違う」

そう言ってお父様は私を抱き上げる。ダメですよ。戦うなら邪魔になりますよ。

「ユリア、怖いか？」

「少しだけです」

怖くないと言ったら嘘になるので正直に言う。するとお父様は眉間に深い深い皺を作った。

「毛玉。どうにかしろ」

「我の扱いが雑であるぞ！　それに、これを起こしたのは氷であろう！」

「隙間(すきま)をつくっただけだ。今の私はユリアを慰めるという仕事がある。お前はお前の仕事をしろ」

「……稀少な木の実で手を打とう」

「果物もつける」

「わかっておるではないか！　ならば精霊王の力の片鱗を示してやろうぞ！」

お父様の言葉に、モモンガさんの体から真っ白な光が放たれる。普通の光と違って眩(まぶ)しくないものだ。

でも、精霊王の力を開放しても大丈夫なのかしら？

25　そろそろ顔芸ネタは限界だと思う少女

モモンガさんの光の中に異形の土は入ってこれないみたいで、無事に安全地帯となった。すごいよモモンガさん。

そして、私を抱きしめるお父様の腕と胸板の温かさの安心感もすごいのです。さすベル。

「主、異質なにおいがするぞ」

「モモンガさん、気をつけて」

「精霊王をなんだと思っておる」

え、むちむち太ってきた毛玉だと思っていますが？

モモンガさんの光の隙間から入ろうとする土の異形を、お父様が素早く魔力で凍らせる。私も魔力を使って援護しないと……。

「待て」

「え？」

「あちらにわざわざ教える必要はない。お前は何もできないと思わせておけ」

お父様の言う「あちら」とは何なのだろう。

モモンガさんの力の開放よりも隠しておいたほうがいいってこと？

「おい！　我のことは隠さんのか！」

「毛玉は自分でどうにでもなるだろう」

「ぐぬぬ！」

仲良く言い合っているのはいいけど、この状況はどうすればいいんだろう？

「な、仲良く？　恐ろしい事を言うでない！」

「……同感だ」

やっぱり仲良しじゃん！

二人（？）のやり取りを聞いていたおかげか落ち着いてきた私。

周りを見回すと目の前に置いてあった料理やお酒は消えていて、気づけば部屋ではなく土や泥が多い地面に立っていた。（私はお父様に抱っこされているけど）

「精霊の力を使って、あの場から移動をしたのだ」

「ここは？」

「宿から少し離れた場所……のはずだ」

お父様の問いかけに対して、自信なさげに返すモモンガさん。おいおい大丈夫なのかい。

それと、精霊の移動を使ったらダメなのでは？

「あれは氷の親子と影の長しか使えぬ。我の力は別のものだ」

「じゃあ、これから移動が楽になるね」

「次に使えるのは五十年後だ」

「えー！」

せっかく便利な力だと思ったのに、制限付きすぎだよ！

宿の人たちが土になったのが怖かった。どうしよう……人が土になっちゃったのかな……。

「あれは宿の人間ではない。擬態(ぎたい)していただけだ。この町の宿で見たのが初めてだ」

「お父様、他の町は大丈夫ですか？」

「この町だけ神の守りが弱まっていたのだろう。他はどうだったかは調べさせている」

よ、よかった。アレが人間だったら怖すぎる。

幼女(ユリアーナ)も中身(ゆり)も、心霊現象とかホラー映画とか苦手だからね。前世で、子どもが泣かないようなお化け屋敷でもギャーギャー叫んでいたからね。

お父様とやり取りしている間にも、土の異形のモノたちは私たちに手を伸ばそうとしては攻撃を受けて崩れていく。それを静かに何度もくり返しているのが、ただただ不気味だ。

お父様が足もとにある土を手にとって指先でポロポロと崩す。そんなもの触ったらダメですよ。ばっちぃですよ。

「普通の土に見える」

「前に見たものと同じ異質なのに、ここでは何も染められないのだな」

「これはやはり『ハイイロ』か？」

「うむ。しかし、ここでは上手く力をふるえないようだ」

また出てきた！　ハイイロ！

私たちの国では「魔王」の象徴とされる『ハイイロ』だけど、ここではどういう役割をしているんだろう。

前世の記憶よ……出てこい出てこい……。

うん、無理。何も出てこないです。

そもそも私の書いた作品に『東の国』のような存在はあったけど、実際に行ったかどうかは微妙なんだよね。

アズマ国ならオルフェウス君が旅の途中で立ち寄っていたけど、ここことは違う。

宿の食堂が（泥汚れなどで）どんな惨状になっているかは不明だけど、このままだとお父様とモモンガさんが延々と土塊（つちくれ）を量産していくことになりかねない。なんとかせねば。

「おーい！　無事かー！」

「助けに来たの！　返事をするの！」

「オルリーダー！　シロさん！」

まさに天からの助け……というか、上から声が聞こえてきたような？？？

暗い中で発光しているモモンガさんのまわりしか見えないから、オルフェウス君たちがどこから呼びかけているのかが分からない。

「ここだ」

上に向けて声を発したお父様は、地面から氷の柱をドドンと生やした。それと同時に上から慌てている声が聞こえてくる。

「あっぷね！　俺らを刺す気かよ！」

「フェルザー侯爵は氷魔なの！　油断大敵なの！」

やはり上方向にいたらしいオルフェウス君と子白虎シロさんは、文句を言いながら氷の柱の近くにシュタッと着地した。お父様が荒ぶる氷でごめんなさいよー。

「狙い通りだったか」

「いやいや狙わんでくださいよ」

上にいたオルフェウス君は、なぜか大きくなった子白虎シロさんに跨がっていた。

え、すごい。シロさん空を飛べるの？

「妾は西の白虎なの。風を司る神の眷属なの」

「乗り心地は最悪だぞ」

うわぁ、すべてにおいて能力の高いオルフェウス君がそう言うってことは、私が乗ったら絶対に乗り物酔いするやつだ。無理無理。

ところで、なぜか二人からお酒の匂いがしないんだけど。

「全員の酒気は、妾が抜いておいたぞ」

「なんてことしやがる、この獣め」

「妾に向かってなんという言い草なの！」

うーん、二人とも助けに来てくれたのは嬉しいけど、お父様とモモンガさんのにわか連携はそろそろ限界だと思われ。

「そろそろ土の動きを止めてほしいんだけど」

私が魔力を使って力ずくでやろうにも、お父様から止められているからね。しょうがないよね。

「土なら玄武が得意なの。起こしてくるの」

「ゲンブって、リョクレイを治めている神の眷属様？」

「そうなの」

さっきまで大きかったシロさんは、すでに元の子白虎の姿に戻っている。

大きくなった理由は、オルフェウス君を運ぶためだけだったのね。ケンカしているように見えたけど、お酒も一緒に飲んでいたし案外気が合うのかな？

さて、子白虎のシロさんがどうするのかを見守っている私は、何もすることがないので、お父様の腕の中から実況していきたいと思います。

おーっと、お父様の魔力が土の異形を凍らせていく！　元の土に戻っていく異形を飛び越え、オルフェウス君が振るう剣はさらに異形を土へと変えていく！

すごい！　すごいぞ二人とも！

「おい、声に出してないから良いだろうなんて思うなよ？」

「愛らしいユリアに、何の不満がある？」

「妾も驚きなの。さすが、フェルザー家なの」

いや、私（ユリアーナ）フェルザー家の血は流れていないはず。

そして声に出していないのに、オルフェウス君が「うるさいから静かにしてろ」って注意してくるの、解せぬ。

「主は顔がうるさいのだろう」

だまれ毛玉。

こんなホラーな状況で、あえて明るく振る舞う幼女……じゃない、少女に対して何という暴言を。

それよりも子白虎シロさんが玄武さんを起こすというイベントを、さくっとやっちゃってくださいよ。

「では行くの。皆は耳をふさぐの」

起こすというからには大きな音でも出すのだろうか。

シロさんから心持ち離れた私たちは、土の異形を抑え込みながら彼女（？）の行動を見守る。

小さな体を震わせたシロさんは大きく息を吸い込むと、思いきり地面に向かって咆哮(ほうこう)を放つ。

「ガルルルゥウウウウウオオオオオオオオオン!!　世界の裏側の皆さーーーーん!!　聞こえますかーーーー!!　なのーーーー!!」

わーーーーんっ!!　うるさーーーーいっ!!

26　ホラー展開から少女から幼女へ

大きな音のせいで耳がジンジンしているけど、状況の変化は早かった。

私たちを何度も襲おうとしていた土の異形はみるみるうちに干からびて、あっという間に砂となっていく。

このあたりの地面は水気が多かったのに乾いているし、なんというか展開が早すぎて気がぬけてしまいそう。

お父様の腕をポンポン叩いて地面に下ろしてもらった私は、未だ警戒を解かないオルフェウス君の背中をポンポン叩いて声をかける。

「オルリーダー、剣をおさめたほうがいいよ。シロさんが呼んだからもうすぐ来るだろうし」

「呼んだって何をだ？」

オルフェウス君とは違い、お父様は私を抱っこしていたから武器を出していない。でも、何かあれば武器を持っているオルフェウス君よりもお父様のほうが危険なのは言わずもがな。

お父様を見上げると、こくりと頷いてくれた。

「ユリアの指示に従え」

「……侯爵サマがそう言うなら」

戸惑っているオルフェウス君を構っている暇はない。急きょ始まる謁見に身支度を整えたいところだけど、頼みの綱のティアとセバスさんがいない。ぐぬぬ。

「ユリアはそのままでも天使だ」

「ダメっすよ侯爵サマ。女子はオシャレってやつをしたい生き物なんだ、ですから」

え、そうなの？

意外と女子に対して気遣いのできるオルフェウス君は置いておくとして。

ガルルルと唸っている子白虎シロさんを中心に、乾いた地面の砂が風に飛ばされていく。すると、その下に現れたのは艶やかな黒曜石のようなモザイクタイルで……。

「んー、お客さーん、かなー?」

「寝坊なの。起きるの」

「んー、わかーった、よー」

大地に響くような声が聞こえてきたかと思うと、ぐらりと視界が揺れる。動いているのは地面そのものだということに気づいた時には、お父様に抱き上げられてしまったとさ。

あー、お父様、いけません、あー、いけませんお父様ぁー。

抱っこの状態で謁見とか、黒曜石のような外皮の持ち主に失礼があってはいけないのですー。お父様ぁー。

「玄武、遅いの」

「んー、ごめーん、よー」

失礼があってはいけないと言いながらも、玄武さんの上に乗っかっている私たち。

お父様はふわりと魔力を使い、オルフェウス君は危なげなく下りていく。

この高さを飛び降りるのはすごいと思う。だいたいビルの十階くらいありそう。

白虎さんは白い虎で、青竜さんは青い竜だったから想像はできたけど、玄武さんは大きすぎて全体像が把握できない感じ。

「玄武、大きすぎるの」

「んー、ごめーん、よー」

子白虎さんの声かけに間のびした声で答えた玄武さんは、しゅるしゅると縮んでいくではないか。

そして目の前に現れたのは、黒曜石のような硬い甲羅(こうら)をもつ四つ足の獣だった。馬くらいの大きさだから、違う意味で迫力がある感じ。

「あー、尻尾にー、気をつけてねー。毒があるからー」

「え、はい」

玄武さんは亀というよりも蛇に近い顔を私に向けて、つぶらな瞳をパチクリさせている。

「おー、寝ている間にー、面白い人間がー、来たねー」

「そうなの。面白い子と怖い人たちがいるの」

面白いとは失礼な。あと怖いのが複数形ですが、お父様とセバスさんのことかな?

シロさん、オルフェウス君とティアとは仲良しっぽいもんね。

「きゅきゅっ(主、少し疲れたから寝る)」

「ありがとうモモンガさん。大丈夫?」

「きゅっ(うむ。暗くなるので気をつけてくれ)」

小人モードから毛玉に戻ったモモンガさんは、オルフェウス君の頭に乗って丸くなった。そこ、寝床あつかいなんだね。

玄武さんの声は間のびしているから、眠いのかと思ったけど目はパッチリと開いている。そして興味津々といった様子で私たちを見ているのが、なんかゾワゾワするよ。

「ユリアを見るな」

「んー、ごめんねー。白虎が何かをー、したみたいだからー」

「妾は悪くないの！」

「苦手なのにー、無理するからー、だよー」

ふむ。白虎さんは「何か」をするのが苦手で、それを玄武さんが指摘しているということか。

その「何か」っていうのは、たぶん……私の魔力を安定させた事だよね？

「風もー、水もー、火もー、動くでしょー？　土はー、動かないからー、定着させるのー、得意だよー」

「定着させると、どうなる？」

「世界に、なじむよー」

玄武さんの言葉に、白虎さんは「それはダメなの！　我らの神と話してからなの！」などと言っている。

私がこの世界に定着するということは、異なる世界の記憶を持つ私という存在は……一体どうなるのだろう？

「へっくち！」

「セバス」

「旦那様、こちらをお嬢様に」

腕に巻いてある魔法陣を取り上げ、幼女になった私を抱き上げたお父様。そしていつの間にか後ろにいたセバスさんから受け取った毛布で素早く私を包みこむ。

な、なぜーっ⁉

「続きは明日にする」

「神の眷属の御方々。外は冷えますし夜も遅いので、明日改めて伺います。よろしいでしょうか」

珍しく怒りを滲ませたセバスさんの声に驚きつつ、オルフェウス君の「やばいな……」という呟きに首を傾げる。

「オルさま？」

「護衛の仕事にお嬢サマの体調管理ってのがあるんだよ……」

「わたし、げんきだよ？」

「おう。そのまま元気でいてくれ」

小声で会話する私たちをチラッと見たセバスさんは素敵な微笑みを浮かべる。

「お嬢様の服装について、気遣うべきでしたね」

「す、すんません。師匠」

私もティアやセバスさんに頼りっきりで、ごめんなさい。

「すごいねー、怖い人間がー、増えたねー」

「どうやってここに来たのか、わからないのが怖すぎるの」

玄武さんと白虎さんが驚いているけど、怖くないですよ。だってセバスさんだもの。

とりあえず今夜は解散となり、セバスさんの案内で私たちは別の宿に泊まることとなった。さすがに変なモノに襲われた宿では安眠できないと思う。

ティアは先に寝ているんですって。あらあら。

そして幼女の私は、何度も襲ってくる土の異形が少し怖かったので、お父様に添い寝を所望しましたとさ。

ちがいますよ。甘えているのではなく、ホラーが苦手なだけなのですよ……。

27　男たちに自重してほしいと願う幼女

ホラーな夜の騒動から一夜明けて、お父様の（筋肉の）安心感によって爆睡した私は爽やかな朝を迎えた。

昨日は疲れていたから気づかなかったけど、この宿は大きなログハウスのようになっている。二階に個室が四部屋あり、一階はダイニングキッチンとリビングになっていた。

トイレとシャワーは各部屋にあるけど、隣の建物は温泉がひいてある大浴場があるらしく、ぜひとも後で入ってみたいのだけど……。

「本当に申し訳ございません！」

「きにしないで、ティア」

「ですが私は護衛のお仕事をできず！　セ、セバス様にご、ご、ご迷惑をおかけしまして！」

顔を真っ赤にしたティアは、お父様とセバスさんに何度も頭を下げている。昨日の襲撃はしょうがないと思うんだよね。誰も予測できてなかったし。

オルフェウス君も怒っていないみたい。彼はたまたま一緒に飲んでいた子白虎さんに酔いを醒まされただけで、ティアと同じ状況だったからね。

大丈夫だよティア。お世話していたセバスさんは楽しそうだったし……と言おうとしたら、そっと手のひらで口を塞がれてしまう。

お父様の手、いい匂いがするなぁくんかくんか……じゃなくてですね。

「私が飲酒を許可したのだ。護衛の責任ではない」

「侯爵様……」

「むしろ謝るのは私のほうだろう」

「え？」

お父様の言葉に驚く私とティアとオルフェウス君。そう言ってリビングのソファーに座って優雅にお茶を飲むお父様に代わって、セバスさんが説明してくれる。

「申し訳ございません。旦那様は護衛に隙をつくろうとしていたのでございます」

「どうして？」

「何かが動いているのは分かっていたのですが、あまりにも何も起きないため分体の白虎様の助言を得て実行したのです。まさかあそこまでとは思わず、ティア様を悲しませることに……」

そう言ってセバスさんはティアの前に跪いて、手を取った。

「どうかお許しいただけますか？」

「!?!?!?」

それはずるい！　と、この場にいた（お父様を除く）全員が思っていただろう。

案の定ティアは全身を真っ赤にした後、蚊の鳴くような声で「……はい」と呟いていたし、お父様は私を膝に乗せてお菓子を口に入れてくるし。

ダメですよお父様！　私は許しませんよ！　あんなホラー展開とか、夜ひとりで眠れなくなっちゃうじゃないですか！

リョクレイ名物のミルク饅頭をもぐもぐしながらプンスカ怒っていると、お父様は私を自身の膝からソファーに移動させる。

そして目の前に跪いて、優しく手を取った。

「すまない。ユリア」

うん。許す。

いつもは無表情なお父様が、少しだけ眉を八の字にしているのが可愛く見えてしまう不思議。あ、お父様の美しいご尊顔がキラキラして眩しすぎるのがいけないのです。ぐぬぬ。

「うちの女性陣は揃ってチョロいな……」

「いつか君も分かりますよ」

呆れたオルフェウス君の言葉に、セバスさんが微笑みながら返している。

そうだよ。君はいつか愛する女性から「チョロいな」と思われる未来が待っている……はずだよ。たぶんね。

件の宿は玄武さんの監督責任ということで、彼（？）がしっかりと綺麗にしたらしい。私たちと一緒に行動していた子白虎シロさんは、玄武さんを監督するという謎の仕事が増えたとのこと。なんというか、玄武さんは天然っぽいイメージだなぁ。

「幸いなことに人間への被害はなかったようです。ご安心ください」

「よかったー」

私たちの知っている『ハイイロ』は、人間を狂わせたりする恐ろしい存在だからね。それに、シロさんが監督していたとはいえ、お父様が動いたことによって誰かが傷ついたりするのは……なんか嫌だ。

あ、宿の建物内は大変なことになったみたいだけど。

「お嬢様、こちらからもお詫びをお送りしました」

「よかったー」

そういうのは大事だよね。

朝食は焼きたてのバゲットと搾りたて牛乳、採れたて野菜のサラダに厚切りベーコンと生みたて卵……という、ある意味贅沢なメニューだ。

ああ、外はカリカリで中はもっちりのバゲット……お父様がバター（もちろん作りたて）を塗ってくれたから、おいしい……おいしすぎる……。

「ベルとうさま、ベーコンどうぞ。あーん」

「……あーん」

小鳥の胃袋なので、食べ物を残すと申し訳ない気持ちになるのは前世の貧乏性からなのだろうか。その気持ちを理解してもらっているので、食事の時はお父様に手伝ってもらっていることが多い。食べかけのものよりも最初に取り分けたほうが気持ちが楽だ。もっと食べたくなったらセバスさんが追加してくれるし。

「妾、そこにいる執事はとても優秀だと思うの」

「そうだな。師匠はすごいな」

「だから疑問なの。なぜ、あの子の食事を出す時に量を調整しないの？」

「そうだな。なんでだろうな」

いつの間に来ていたのか子白虎シロさんと、なぜか遠い目をしているオルフェウス君は会話している。

オルフェウス君とティアは、すでに朝食を終わらせていた。というか、私が寝坊しただけだったよ。ごめんなさい。

「そこの獣。謁見の準備は？」

「ケモノじゃないの！　玄武のほうはいつでも会えるの！」

子白虎シロさんはプリプリ怒りながらも教えてくれる。ところでお父様、シロさんは獣で、青竜さんと玄武さんの呼び方は何ですか？

「竜と亀……か？」

あ、考えてなかったから今決めたんですね。いや、普通に名前を呼べばいいと思うのですが……。

「あれらはフェルザー家に迷惑しかかけておらん」

「失礼なのーっ！」

確かに、のんびりと観光がてら外交のお仕事かと思いきや、神の眷属と会う度に事件が起こっている気がする。この国に入る前も魔女だのなんだの大変だったし。

そう考えると、魔獣が出てこなくても面倒なことには変わりないってことになる。

「ユリア、怒っているのか？　尻尾の毛が逆立っている」

「ふぇっ⁉」

それはちょっとお恥ずかしい……。

ここの神の加護とやらも、私には必要のないものだと思います！　幼女に子猫の性能が追加されたって誰が得するというのか！

「うむ。別の愛らしさが加わったが、そのままのユリアが一番いいな」

「ベルとうさま……」

お父様のこの言葉を引き出したということで、神の加護も悪くないと思いました。チョロいと言いたければ言うがいい。

「ところでお嬢サマ、今日の朝は少しだけ起きてたけど、引き続き毛玉は俺の頭で寝てる、ます」

「しばらく、そのままでもいい？」

「俺はいいけど、こいつは大丈夫かなって」

私はちょっと魔力を集中させて、オルフェウスくんが差し出すモモンガさんに呼びかけてみる。

「モモンガさん、だいじょうぶ？」

「きゅぅ」

小さく鳴いているけど、これはもしや……。

「とうみん？」

「この動物、冬眠すんのか？」

「わかんにゃい」

それとは別に理由がありそう。そして噛みかたが子猫みたいになっていてぐぬぬ。

膝抱っこしてくれているお父様を見上げると、こくりと頷かれた。

「私の氷月（ひょうげつ）が、これの中身は精霊界に戻ったと言っている」

モモンガさんの本体は精霊王だ。毛玉の体は器でモモンガさん自身は精霊王だから、そういうこともあるだろう。たぶん。

ところで、まだティアは落ち込んでいるのかと思って見てみると、何やら呟きながら顔を赤くしているではないか。

何やってくれてんのセバスさん。

「誠心誠意、言葉を尽くしただけでございます」

いやだから、それが何やってくれてんのって話でしょ！　まったく、うちの男どもは……。

28　ＴＰＯをわきまえてほしい幼女

朝食を終えた私たちは一度お屋敷に戻り、マーサとエマにごりごり磨（みが）かれてお着替えさせられる。

一応「高貴な存在」との謁見だものね。護衛の冒険者ユーリ設定はどこへいったのだろうか……。（遠い目）

お父様もフェルザー侯爵としての正装しているから、めちゃくちゃカッコイイ！　素敵！　異世界転生してよかった！

感激している私に、少しだけ口もとを緩めたりするデレお父様を見てさらに悶えてしまう。幼女に対して、これ以上のサービス（？）は自重してもろて……。

身支度とおめかしをした私たちを迎えに来たのは、なんとデンシャではなく一張羅（いっちょうら）（フンドシ）を身につけたマッチョメンたちだった。

輿、アゲイン……。

なんといいますか、色々な意味で目のやり場に困るわけでして……。

「おう！　嬢ちゃんたち！　西の兄弟たちが世話んなったなァ！」

「東の兄弟たちは出番なかったってェ泣いてたぜ！」

「安心しろィ！　俺らが玄武様んとこまで届けてやっからなァ！」

ひぇ……漢たちの意気（テンション）がすごすぎる……。

お父様のような着痩（や）せマッチョはともかく、定期的に見せつけるようなマッチョが出てくるのは何故……。

ビアン国ではバッサリ断っていたお父様なのに、この国では受け入れているみたいなのも謎すぎる。

「外交というのもあるが、デンシャよりも速い。不本意だが早く終わらせるためだ」

「はやいから、ですか」

なるほど。確かにビアン国のお父様は冒険者アロイスとして私の護衛をしていたっけ。

それに、お父様も暇じゃない。昨日はお屋敷に戻らなかったから、執務もたっぷり溜まっているのだろう。

了解です。私も協力しますよ、お父様。

「……ユリアが、宿の風呂に入りたがっていた」

なんと私のためでした！

甘ーーーーーい!!!!　お父様が甘すぎる件!!!!

今回はセバスさん、オルフェウス君、ティアも一緒に輿に乗る。六人乗りのもあったんだね、これ……。

なぜか子白虎シロさんはオルフェウスくんの足もとに座っていて、分体とはいえ神の眷属としてそれでいいのかと思ったりする。本人が楽しそうだから何も言わないけど。

オルフェウス君の頭の上で寝ているモモンガさんといい、シロさんといい、妙に彼のこと気に入ってるよねー。

「あ、ティア、だいじょうぶ？」

「はい。もう大丈夫です。すみません、動揺してしまって……」

そうじゃなくて、二日酔いとかしていないかってことなんだけど……。

ま、いっか。大丈夫ならよかったってことで。

輿のスピードは速かった。

あっという間に全体的に黒い建材で造られた玄武さんの館に到着した。そして、耳に羽毛を付けた女性に案内されて中へと入る。

私は輿から降りた時によろけたので、お父様に抱っこをされております。私の足腰が弱いんじゃない。皆が強すぎるのだ。

靴はセバスさんが預かっていて、静々と進む廊下は黒い漆で塗られている。外観もそうだけど、他の館とは違うシックな色づかいだね。

「こちら、玄武ノ宮様の眠りを妨げないよう、落ち着く色で統一しております」

「なるほどー」

子白虎シロさんは「ねぼすけ！」みたいなことを言っていたけど、羽毛女子さんの言葉からすると寝るのも仕事って感じがする。

「そんなわけないの。寝すぎなの」

「白虎ノ宮様の分体とはいえ、うちの宮様に暴言を吐くなど許しませんよ」

「暴言じゃないの！　事実なの！」

落ち着いてください二人とも。そして羽毛女子さん、けっこうな戦闘民族ですね。手に持っている刃物は危険なので引っ込めてもろて。

「それ以上はやめとけ」

いつの間にか、羽毛女子さんの背後にいたオルフェウス君と、子白虎さんを抱き上げて「めっ」としているティア。

そしてお父様と私の後ろで微笑んでいるセバスさんが、ピリピリしているのが分かります。どっち？　どっちのやつですか？

「もー、しょうがないなー。二人とひとつだけー、来るといいよー」

間のびした声が聞こえてくると思ったら、次の瞬間、私とお父様は別の「場所」にいた。

床は青い畳で、天井は黒漆塗りという「場所」と言い張るのは、前後左右に柱も壁も見当たらないからだ。

広がる畳と天井……やっぱりホラー展開は続いちゃうのだろうか。

気づくと私の手には温かい毛玉のモモンガさんが寝ている。おお、モフモフが癒されますな。モフモフ。

やがて周囲に黒い霧が現れたかと思うと、徐々に玄武さんの形になっていく。気をつかってくれたのか、大きさは前回と同じくらいだ。

「ごめんねー、いつも寝ている場所に呼んだだけー。こわくないよー」

べ、別に怖くないし！　玄武さんに呼ばれたって分かっていたし！

強がる私の背中を、お父様が優しくぽんぽん叩いてくれる。ふぇぇ。

「今回はユリアひとりではないのか」

「フェルザー家の当主はー、この子の事情をー、知っているでしょー？」

「……なぜ、それをお前が？」

「まって！　ベルとうさま！」

お父様から膨れ上がる魔力を感じた私は慌てて叫ぶ。

玄武さんを攻撃したら『東の国』の神様に会えなくなるかもしれない。だから……。

「たいざいきょかしょうをもらうまで、まってくだしゃ！」

もらうもんもらってからでお願いします！

「さすが私の唯一。ユリアは賢いな」

「この保護者にしてー、この子ありって感じだねー」

呆れた様子の玄武さんだけど、私たちにとってその程度の存在だということは理解していただきたい。そしてもうホラーはご勘弁願いたい。

「それで？　ユリアに何の用だ」

「せっかちだなー。亀はねー、寝ている間に未来を視るんだよー」

未来視とは初耳だ。お父様を見上げると首を振っているし私の設定にも無いから、この国独自のものかな？

「それでねー。君は……『世界の理』に触れた君こそ、朱雀の憂いを……我らの神の願いを聞いてあげてほしいー」

「すざくさんと、かみさま？」

「白虎は風で乱しー、青竜は水で流しー、玄武は大地に留まりー、朱雀は炎で終わりと始まりを司どるんだよー。遠い昔にー、この国を興した我らの神がー、朱雀に「終わり」を願ったけれどー、叶えられなかったんだってー」

玄武さんの説明はゆっくりで長かったけど、なんとなくわかった。いや、よくわからない。

「なんで、おわりをねがうの？」

「それはー、いずれ分かるよー」

うん。そうだと思っていたよ。

とりあえず私たちは朱雀さんのところへ急げってことかな。

「ゆっくりー、観光してねー」

「え？　いそがないの？」

「ユリア、その亀のことは気にするな」

「べるとうさま？」

なんとなく怒っているような雰囲気を察した私は、うるっとした目でお父様を見上げる。でも、お父様の表情は怒っているというよりも、なぜか少し悲しそうに見えた。

お父様、どうしたの？　何かあったの？

「ユリア。お前が望むようにすればいい」

「そうだよー。君がやりたいようにー、やるといいよー」

言われるまでもなく、やりたいようにやるけど……なんか引っかかるんだよね。考えても答えが出なさそうだから、後回しにするしかないけど。ぐぬぬ。

玄武さんが甲羅（？）の中から木札を浮かばせたのを、お父様が受け取っている。これで滞在許可証は三つ揃った。あと一つは……。

「僕はまた寝るからー、朱雀にー、よろしくねー」

そう言って玄武さんは私たちを元の場所に戻してくれた。

羽毛女子とオルフェウス君が激戦を繰り広げている、カオスな状況の中に……。

◇とある巡礼神官は初めての感情に戸惑う

私の名前はティア……いえ、クリスティアと申します。

ある時期から嫌いになった自分の名前を再び受け入れられるようになったのは、友人であり、妹のように可愛がっているユリアーナ・フェルザーこと、ユリちゃんのおかげだったりします。

父でもあり上司でもある、神官クリスの名の入った「クリスティア」という名前は、私にとって不要なものと思っていました。

ですが、あの日のユリちゃんが教えてくれたのです。

命の尊さを。


魔女との戦いにおいて、私とリーダーのオルフェウスは覚悟していました。

命をかけてユリちゃんを守ることを。そして、死ぬことを恐れてはならないと。

魔法や神の力が通用しない、この世界の理から外れた存在と、一体どのように戦えばいいのか分からなかったのです。

それを示してくれたのが、我らのユリアーナ・フェルザーだったのです。

ユリちゃんの歌を聴いた時、リーダーは違う感想を持っていたようですが、私にとって命の尊さ、日常への感謝、そして……生まれてきたこと、育ててもらった父への感謝が湧き上がったのです。

今もなお、父とはうまく会話できません。

それでも「感謝」を伝えることだけは続けていこうと思っています。

あの歌声を思い出すと、命の尊さと父への感謝が湧きあがります。ぜひ、また歌っていただけたらと思っているのです。ほ、本当ですよ？

そして……。

私に初めての感情を与えてくれたのはユリちゃんだけではありません。

実は、他にも私にとって「初めて」の感情を与えてくれた人がいます。その御方は……。

ああ、思い出すだけで顔が熱くなってしまいます。


侯爵家に仕えていて。

侯爵家の『影』の長で。

外見や行動からは年齢が分からなくて。

微笑みの下にある本当の感情を、どうしても知りたくなってしまう御方……。


何かあったら、助けてくださる御方なのです。

でも、私には分かってます。助けてくださるのは、ユリちゃんが悲しむからだと。

高位とされる巡礼神官の資格を得てもなお、私は半人前です。

自立し、自律するべき神官としての基本的な行動さえ、あの御方の前では風の前の塵（ちり）と同じようなものなのです。

ああ、せめて私がお父様と同じくらい力があれば、あの御方に認めてもらえるのでしょうか。

「あら、ティアは恋をしているの？」

「はぁっ⁉　な、なななななんの事ですか⁉」

「……そんなに分かりやすい反応をされたら、父として見過ごせないわね」

ビアン国から戻り、しばらく父の教会に身を寄せていた私は、思わぬ言葉に心臓が止まるかと思いました。

うまく誤魔化せたと思っていましたが、父にはすべてお見通しだったようですね。

「何もありません。私は神官として生きていくのですから」

「あら。神官だって恋をできるし、結婚もできるの。私とティアンナのようにね」

それは私にも分かっています。

でも、半人前の私が恋をしたりけ、け、けけけ結婚なんてダメです！　いけません！

心の動揺が静まるように深呼吸していると、父は苦笑して私に温かいミルクを出してくれました。

小さな頃、夜眠れない時に出してくれた、ほんのり甘い蜂蜜入りのミルクです。

「人として生まれたのなら、恋をしたり、愛したり、愛されたりするのは自然なことでしょ？」

「でも……」

でも、あの御方にとって、私なんか……。

「ティアは今「私なんか」って思ったでしょう。それはティアのお母さん、ティアンナもよく言っていたわねぇ」

「お母さんが？」

「ほら、昔からアタシってモテてたじゃない？」

「ソウデスネ」

「だから、ティアンナは「私なんかクリスに愛されるはずがない」みたいに思っちゃってたのよぉー！　もう、可愛いったらないわよねぇー！」

「ソウデスカ」

父の言葉にまったく共感できなかったのですが、母も自分に自信を持てない時期があったというのは本当のことかもしれません。

誰もが、自分を愛してほしいと思っていて、愛される自信が持てないものだと思います。

……父を除いて、ですけど。

「だからね、ティアには魔法の言葉をあげるわ」

「魔法、ですか？」

神の言葉ではなく？

「そう。魔法なの。ここぞという時に使ってちょうだい。恋も愛も言葉から魔法のような力が働いて、奇跡が起きるものなのよ」

なるほど。私には分からないということが分かりました。

でも、あの時は理解できなかった父が本当に言いたかったことは、今になってようやく分かった気がします。

護衛として同行した『東の国』への旅にて。

許可されていたとはいえ、お酒に酔った私は護衛の任務があるにも拘わらず、一人のうのうと寝ていたという失態を演じました。

しかしそれはフェルザー侯爵閣下の指示から起きたことであり、私の職務怠慢ではないと仰っていただいたのですが……リーダーのオルフェウスは活躍していたのですから、納得できずにいました。

すると、私の目の前に跪いた執事服の男性は、そのまま綺麗な動作で私の手を取り「許していただけませんか？」と仰いました。

もちろん許します。

私は、私の目の前にいる御方に何の不満もありませんし、ずっと、初めて会った時から心惹かれております。

ですから、たとえ騙されていたとしても、神の手が届かぬ地の底へ落とされても、私はこの御方を許してしまうと思うのです。

我ながらこの御方に、ここまで心を寄せていることに笑ってしまいます。

「……なぜ、笑ってらっしゃるのです？」

「え？」

珍しく目の前の御方……セバス様が私に問いかけます。

なぜ珍しいのかといえば、私にしか聞こえないように問いかけられているからです。

「嫌な思いをされたでしょう？　なぜ、怒らないのですか？」

「なぜ、と言われましても……」

お酒に酔ったのは私の過失ですし、たとえ侯爵様が理不尽な指示を出したとしても、雇い主の要望には出来る限り従うことは必要だと思います。

それに、私は誰よりも……。

「侯爵閣下とユリちゃんもそうですが、私は、私自身がセバス様を信じているのです。信用して、信頼しております」

「信頼、ですか？」

「はい」

精一杯の笑顔で頷いたのですが、跪いていたセバス様は微笑んだまま立ち上がると、少しだけ不満げな表情を見せたのです。

「信頼だけ？　私は貴女から、違う感情が欲しい」

いつもの丁寧な言葉とは違う、その何ともいえない色香に、この時の私は息が止まりそうになりました。

誰か教えてほしいのです。

私の目の前にいるセバス様に……いえ、「彼」に何を求められているのかを。

この時の私はただ混乱していただけで、彼の要望に応えるなんて考えられずにいました。

それでも後になって、彼の言葉は魔法のように私の心に入り込んでいたと知ったのです。

神官としてではなく、ひとりの人間としての私を、彼は呼び覚ましたのだと思います。

彼が求めているのは、信頼ではない感情。

それはきっと、私の……。

29　食べ尽くしたい幼女

黒髪に黒い瞳を持つ青年は、この国の神の加護としては強者とされる黒豹を得ている。

しかし相手も国内で指折りの実力者だ。先ほどまでは見えなかった薄茶色の羽が着物の袖から現れ、ふわりと飛び上がった女性は不敵な笑みを浮かべる。

「黒豹の加護とは、なかなかの強さをお持ちのようですね」

「鳥か。食ってやるよ」

「加護の強化くらいで、いい気にならないことです」

神の眷属の館で武器の携帯は禁止されているため、相対する二人は無手で戦おうとしていた。

先に動いたのは黒豹の青年だ。翼を持つ者が建物内で攻撃することは難しいだろうと読み、直線の突きを放つ。

しかし鳥の女性は黒豹の攻撃をあっさり躱(かわ)し、低く滑空(かっくう)していく。そして薄茶色の羽が女性の身を隠すように広がると、背後から来る黒豹の追撃を防いだ。

「へぇ、羽って便利だな」

「加護は自分の一部なのですよ」

「それなら……」

黒豹の青年は深く身を沈めると、再び鳥の女性へと向かっていく。

その時、後ろ向きだったはずの女性の首が、ぐるりと回り……。

「いやあああああ、首があああああああ⁉」

なんで首があんなに回るの⁉　ホラー⁉　やっぱりホラー展開なの⁉

「お嬢サマ落ち着けって。あれはたぶんフクロウ……」

「こ、こわ、こわいよ、ふぇ、ふにゃあああああああん‼」

慌てて何かを伝えようとするオルフェウス君の声は、自分の泣き声が大きすぎて届かない。

お父様の胸元(きんにく)にしがみついて目を閉じても、さっきの光景が頭から離れなくて、怖さの持続力が半端ない状態だ。

だって、羽毛女子の首がぎゅるんって……あり得ない角度まで人間の頭がぎゅるんって回ったんだよ⁉

玄武さんとの会話が終わって、皆と合流したのはよかった。でもなぜかオルフェウス君と羽毛女子が戦っていて、止めようとしたら唐突なホラー展開が……いやあああ怖すぎるううう！

パニックになる私に、柔らかなものがたくさん顔に降り注ぐ。

「ユリア、もう大丈夫だ。怖いものはいない」

「ベルとうさま……」

「私が排除した」

恐る恐る目を開けると、眩しく輝くお父様のお顔が視界いっぱいに入ってきた。

そして私と目が合ったお父様は頬を緩ませて、瞼に軽く口づけをされてふぉぉっ！　甘いっ！

ホラーな何かをお父様が排除したということは、もう安全だということ。

そして今の私はこの世界で唯一安心できる場所にいるということ。

号泣の名残りの鼻をすすっていると、しょんぼりしたオルフェウス君がお父様に頭を下げた。

「すんません。ついカッとなってしまいました」

「セバス、説明を」

「先ほどの案内人が、旦那様とお嬢様を連れ去ったことに対して状況説明をせず、やむをえず武力行使となりました」

おお、そういえば白虎さんの時はメイアンさんも知らなかったみたいだけど、今回はわかっていたのに説明してくれなかったってこと？

確かに、事前に言ってくれたらいいのにとは思うけど、また眠りにつくから玄武さんは急いで呼び出したみたいだし……。

ん？　こういうことも案内の人が説明してくれたら良かったのでは？

「いちいちもったいつけて、うちの宮様がー宮様がーって言うから……いや、すんません」

「かまわん。セバスが許可したことだ」

頷くセバスさんの横で、ホッとした顔をしているティア。よかったよかった……で、いいんだよね？

「ところで、俺の頭に寝てた毛玉が消えたんだけど、お嬢サマのとこにいたん、ですね」

「うん。モモンガさん、ずっとねてる」

危ないからと、お父様の胸ポケット（！）にモモンガさんを入れてもらっているけど、ぐっすり寝ていて起きる様子はない。

お父様の契約精霊の氷月からの情報では、精霊界でパワーチャージしているみたいだけど……。

「まったく、玄武は部下の教育を怠っているの！　凍ったまま家に帰したの！」

「シロさん！」

やれやれといった様子で現れた子白虎シロさんは、オルフェウス君にデコピンされている。

「痛いの！」

「うるさい。お前は部下に教育されてるくせに、えらそうに言うな」

「し、失礼なの！　そんなことない……ないの！」

どうやらメイアンさんに教育されている自覚はあるようで、ちょっと笑ってしまう。

そんな私の様子に安心したのか、抱っこしているお父様の腕の力が少しだけ緩む。えへへ、お父様に心配されていたのが嬉しいです。

ところで案内の人を家に帰したのはいいけど、凍ったままというのが少々引っかかりますが。

……ま、いっか！


宿に戻り、とろっとした感じの乳白色のお風呂をティアと一緒に堪能する。

高原のログハウス浴場は窓にガラスがなく、半露天風呂のようになっていた。

「サウナもわるくないけど、やっぱりおふろがいいなー」

「ユリちゃんはサウナもそうですが、ビアン国の砂風呂も短い時間でしたね」

「あつすぎるのにがてー」

「そうですね。私も苦手です」

外でお仕事する人、偉すぎると思うんだ。

神官は暑さ寒さに耐える修行もするとティアから聞いたけど、ほんと私はそういうの無理だなぁ。

ログハウス内にある給水所にフルーツ牛乳とコーヒー牛乳をみつけて、さっそくいただく。

はっ！　まさか……これに使われている牛乳も搾りたてのやつでは！

おぉーーーいしぃーーーーいっ！

腰に手を当てて（ティアはちょっとだけ恥ずかしそうに）飲んだ私たちは、夕食の海鮮づくしフルコースに舌鼓（したつづみ）を打つ。

お刺身はもちろん、煮付け、塩焼き、茶碗（ちゃわん）蒸しに入れてあったり、鍋料理から炊き込みご飯、締めのお味噌汁まで……。

はぁー、うまい。うますぎる。

前世は貝のアレルギーがあったから、今世は色々な魚介の海鮮料理を食べ尽くしたいものだ。

ちなみに、小鳥の胃袋もどうにかしたいと思っています。ひと口ずつくらいでお腹いっぱいっていうのもね……。

お父様があーんで食べてくれたから残さなかったけど、早く一人前を完食できるようになりたい幼女でした。

30　ソースを求める幼女

快適なログハウスで宿泊し、存分に癒された翌日。

ふたたび『東の国』の神様がいるという中心地を越えて、私たちは北から南へ移動するためにデンシャを待っている。

子白虎シロさんのおかげで、時刻表（？）や路線図（？）を確認しなくても滞りなく旅が出来ている。便利だね。

宿から直通という感じでエキが造られていたから、小さなログハウス風の待合室もあって雰囲気がとてもいい。

温泉も良かったし、また来たいなぁ。

「きゅーっ（復活だーっ）」

「わっ！　びっくりした……おかえりモモンガさん」

「ユリアを驚かすとは、この毛玉も排除するか」

「きゅ、きゅっ（や、やめるのだっ！）」

今日はお出かけ用ポンチョのフードの中で寝ていたモモンガさんは、慌ててオルフェウス君の頭に飛び乗った。

「おい。俺は乗り物じゃねぇぞ」

「きゅっ（精霊王が乗るのだから、光栄に思うがいい）」

「えらそうに言うな」

やっぱりオルフェウス君、モモンガさんの言葉を理解しているんじゃないの？

そして、今日はやけにキラキラしているティアのことも気になるんだよね。何かいいことでもあったのかな？

「この国に来てから、神々の声が聞こえづらかったのですが、夢で神器をいただいたのでようやく皆さんのお役に立てると思います」

「じんぎ？」

「ウィフィーというもので、これがあれば神々の力が届きやすいと」

そう言ったティアの手には、小さな黒い板のようなものがある。前に見たお師匠様が持っているスマホみたいなのと似てるけど、神官服と同じ紋章が入っているから神器なのかな？

ウィフィー、うぃーふぃー、声が届きやすくなる？

受信？　受信的なやつで？　まさか、神々の『神託』って電……。

「ユリア、体調はどうだ？」

「げんきです！」

朝食は焼きたてのバゲットに生ハムとチーズが挟んであってとてもおいしかったし、コーンスープのコーンが粒たっぷりで大満足でしたよ！

たくさん食べたから、お父様へのあーんが少なめでしたね！

「きゅっ（主、我も力をつけてきたから楽しみにするといいっ）」

おお、モモンガさんがパワーアップしたとは。

ということは、私も精霊の移動を使えるようになったと？

「きゅきゅっ（それはできぬっ！）」

なんでダメなのっ⁉

精霊王のパワーアップは役立たない件。やはり普通の精霊と契約したほうがいいのでは……。

「きゅーっ（我がいるから、主の周りにいる精霊使いたちは移動を使えるのだぞっ）」

そうだった。モモンガさんありきの能力だった。

お父様たちの精霊の移動については、お師匠様も「俺も精霊と契約したい」って凹んでいたもんね。きっとチートってやつなのだろう。

南のシュリ町入り口行きの直通デンシャに乗り、コトコト向かっていく。直線だからあまり揺れないけど、車体の横からくる風が強い時はかなり揺れるのだ。

「リョクレイのおみやげ……」

「ご安心ください。こちらリストにしてありますので、欲しいものがあれば購入しておきます」

なんと！　ほしいも……欲しい商品があればセバスさんが取り寄せてくれるとか！

さすがセバスさん。ありがとう、さすセバ。

リストには私がおいしいと思った生ハムやチーズがピックアップされていて、さすセバの仕事が早すぎるね。

「あ、忘れていたの。シュリ町は暑くなるから、気をつけるの」

「だいじょうぶ」

セバスさんが薄手のワンピースの上に、雪国用の上着やコートを着せてくれたから。

今はブーツもモコモコのボア付きだけど、現地で履き替えるよ。

「ティアのふくは？」

「巡礼神官の服は、どのような気候でも快適になるよう魔法陣が刻まれています。もちろん、これは私のために作られたものなので、他の人が身につけようとすると大変なことになります」

「たいへんなことって、なんだろう？」

「なんでしょうね」

ティアの笑顔がキラキラしているから、特に深掘りすることもなく会話を終わらせる。

まだまだ幼女の姿だけど、私は対人関係をより良くするために日々成長をしているのだ。えっへん。

「ユリア、震えているようだが寒いのか？」

「だ、だいじょうぶです。ベルとうさま」

こ、こ、怖くないやい！

そんなヒヤリハットを痛感しながらの移動を終えて、私たちは南のシュリ町に到着した。

濃い色の青空と、強い日差しにセバスさんが日傘を差してくれる。

ティアは法衣を頭から被っているよ。涼しげな表情をしているから、中は快適なのだろう。

ビアン国とはまた違う暑さで、湿気が強めなのが特徴のようだ。

うーん。亜熱帯っぽい感じだねー。

「ユリア、フードを付けなさい」

「あい！」

ちょっと暑さを感じてみたかったのでフードをおろしていたら、お父様に心配されてしまった。すみません。

オルフェウス君はセバスさんから「修行」ということで、快適な服を禁止されている。汗だくになっててかわいそう……。

「相変わらず暑いの！」

子白虎さんはオルフェウス君の修行に付き合うらしく、一緒に暑がっている。黒豹と白虎だから同じネコ科ということで仲良しなのかな？　私も子猫なので入れてもらいたい気持ちになる。

「……神の加護を受けるか」

あ、お父様も仲間に入りたい感じですか？　同じネコ科だったらいいですねー。

でも精霊の契約を切る必要があるんだと思う。お父様の肩に姿を現した氷月が涙目になっているので、やめてあげてくださいね。

デンシャを降りて町の入り口からしばらく歩くと、市場があってたくさんの店が並んでいる。でも、品物はほとんどない。

「ここは朝市だから、この時間はほとんど終わっているの」

「そっかー」

「ユリア……明日の朝、一緒に行ってみるか？」

「あい！」

残念だと思っていたらお父様からデートのお誘いが！

おめかししたいなぁと考えながらセバスさんを見ると、しっかり頷いてくれたよ。マーサとエマのいるお屋敷への送り迎えよろしくお願いします！

北のリョクレイ町は人間よりも動物が多かったけど、南のシュリ町は両方とも少ない。皆さん家にいるのかしら？

皆、どこかのんびりしていて、気候のせいか皆ゆっくり歩いている気がする。

「朱雀は終わりと始まりを司っているから、慌ててもしょうがないという考えの人が多いの」

「なるほど！」

「さぼっているわけではないけど、さぼっている人もいるの」

「なるほど？」

神の眷属の性格から、町にいる人たちの特性のようなものが決まるのかな。

子白虎シロさんは楽しそうに歩いている。尻尾をフリフリしているのが面白い。そう思って自分の尻尾を見たら同じように動いていた。子猫ぐぬぬ。

「朱雀との謁見は明日になるそうなの。海で遊ぶ？」

「海だと⁉」

抱っこしている私をさらに抱きしめるお父様。海で遊んでみたーい。露店とかもあるのかな？

ソースの焼きそばとか食べたーい。

「急に寒くなってきたの！　ひっ⁉　凍るっ！　凍るのーっ！」

「ベルとうさま？」

ソースの香りと味を思い出していた私は、子白虎シロさんの叫びで我に返る。

何があったのかと会話の内容を思い返してみれば……。

「シロさん、うみ、あんぜん？」

「もちろんなの！　危なくないように妾もいるの！」

「ベルとうさま、ここ、まじゅういないです」

そう。『東の国』は魔獣が出てこない。海も一定の領域までは安全なのだろう。

怖い顔のままのお父様と、護衛として一応警戒するオルフェウス君とティア。通常モードのセバスさんと一緒に海へと向かう。

「人間たちが泳ぐ場所は静かなの。沖になると海流がすごいから、船も入ってこれないの」

へぇー、だから西のマシロ町だけで貿易をしているんだね。

歩いていくと、空と同じくらい青い海が見えてくる。

「うみだーっ！」

思わずお父様から飛び降りて、魔力を使って波打ち際まで行くと、よせては返す波が日の光を反射してキラキラと輝いているではないか。

「きれーいっ！」

「ユリア、一人で行動しないでくれ」

ふたたび抱き上げられた私は、お父様の胸(だいきょうきん)を急かすように叩く。

「ベルとうさま、うみです！」

「そうだな。海だな」

「ベルとうさま、うみ、きれいです！」

「そうか」

「おさかな、いるかなー」

「魚はやめたほうがいい」

え？　そうなのですか？

すると、子白虎シロさんがすかさず注意を飛ばしてくる。

「ここの魚は毒があるから、食べたらダメなの」

「ええ⁉」

「自然の摂理なの」

よくわからないけど、魚に毒があるのは理由ありきってことか。

海鮮は北の町でたくさん食べたから、別のものでも大丈夫ですよ。たとえば焼きそばとかね。

あるかな……焼きそば……。

31　ひと狩りを侮っていた幼女

泳ぐのは危険だと禁止されたので、波打ち際で素足を水に浸しております。

本当は素足も貴族として「お行儀が悪い」らしいけど、幼女だから許されておりますよ。

ティアも誘ったけど、セバスさんを見てモジモジしているからやめておきましたよ。

冷たいかと思った水は、ほんのり暖かくて温泉っぽい感じがする。

「この町には海に面した宿に温泉もあるの。塩っぱい温泉なの」

「おんせん！」

私が転ばないかハラハラしながら見守っているお父様に目を向けると、こくりと頷いてくれた。

アイコンタクト成功！　今夜の宿で、塩っぱい温泉を堪能するぞ！

「ベルとうさま！　うみです！」

「楽しいか？」

「あい！」

「セバス」

「記録しております」

お父様とセバスさんが気恥ずかしい会話をしているけど、お兄様に送るものだろうから文句は言いません。

せっかくだから綺麗な貝殻を拾おう。

「ユリちゃん、何を探しているのですか？」

「かいがら！」

「きゅっ（我も手伝うぞ）」

「妾も手伝うの！」

私とティアとモフモフたちも一緒に貝殻探し。法衣のフードに隠れたティアのケモ耳が、たまに動いているのがわかって可愛い。

ひとしきり綺麗な貝殻を集めたところで、セバスさんから休憩のご提案が。

海で砂を洗い流した私は、また汚れるからとふたたびお父様に抱っこされる。体が少し重く感じるから、はしゃぎ疲れた幼女の模様。

「わっ、フルーツたくさん！」

「すごいですね！」

かき氷の上に盛られたフルーツは、いかにも南国のものという感じだ。

マンゴーやパイナップルの果肉がこれでもかとのっていて、かき氷にかかっているシロップの甘味とフルーツの酸味が絶妙にマッチしておりますよ。

そしてソースの焼きそばは無かった模様。残念。

シュリ町の特産品といえばフルーツもそうだけど、猪（いのしし）がたくさん生息していて脂身が上質な油になるらしい。

なんとなく沖縄をイメージしていたから、豚肉が特産品かと思っていた。

「なぁ、その猪って自分で狩ったら安く食えるのか？」

「ここは漁師はいないけど、猟師はいるの。彼らに許可をもらえばいいの」

「侯爵サマ」

「いいだろう」

なぜかオルフェウス君が狩りに乗り気で、ティアの能力が神器で強化されているから安心だと猟師さんたちの集会所へ行ってしまった。

お父様が許可したということは、大丈夫ってことだよね？

「お嬢サマが成長するように、上質な猪を狩ってくる、きますよ！」

「ええっ!?」

なんでか分からないけど、私の成長祈願みたいになってる？？？

「お嬢様、猪は子どもの成長を助ける栄養を多く含んでおりますが、我が国では滅多に見ない動物です」

「私も幼い頃、父が猪の干し肉を仕入れてくれたことがあります」

そうなんだー。

お父様のことだから、どこからか仕入れてきそうだけど……。

「これまで上質なものが見つからなかったが、ここでなら手に入るだろう。セバス」
「はっ！　我が不肖（ふしょう）の弟子には一番良いものを狩るよう伝えておきます」
「うむ」

前世でジビエ料理を食べたことがあるけど、お店の人の腕がよかったからか、おいしくいただいた思い出がある。

今夜の夕食に出るのかな？　楽しみー！

そう、思った時もありました。

え？　この世界の猪って全部こんななの？

目の前にあるのはトラックみたいな大きさの猪の塊（かたまり）の肉だった。

これが一部ってことは、猪本体はどれくらいの大きさになるの？　大きすぎて分からないシリーズは玄武さんで終わったと思っていたよ。まだだ、まだ終わらんよ。

それを町の男性（ほとんどが猟師）たちが、ものすごく大きな刃物の両側に持ち手がついている「猪専用包丁」で、二人体制でえんやこらと呼吸を合わせて切っていく。

大丈夫です。解体ではなく、ブロック肉を切っているだけなので幼女も安心です。猟師さんたちが「近年稀（まれ）に見る大きさ」だと言っていたから、オルフェウス君の頑張りが猪の大きさに比例したと思われる。ちょっと嬉しい。

「これがシュリ町の名物、猪の肉切りショーなの」

「ショーなんだ」

いや、違うんですよ。「そうなんだ」ではなく「ショーだったんだね」という確認的なことを言いたかっただけで、ギャグとかじゃなくてですね。

「上手いこと言うなぁ、お嬢サマ……ブフォッ」

「んんっ、さ、さすがユリちゃんですね……んふっ……ふふふっ」

やーめーてー！　意図せずオヤジギャグみたいになっちゃうやつ、恥ずかしいからやーめーてー！


「これを何発で仕留めましたか？」

「三くらいっすね」

「せめて二ですね」

「……精進するっす」

セバスさんのスパルタ教育的な師匠発言に、オルフェウス君ちょっと悔しそう。え、また狩ってくるとか言わないよね？

「猪は一週間から十日で一頭狩るのが決まりなの。乱獲は許されないの」

はぁ、よかったー。

町の人は「兄ちゃんすげぇなぁ！」「猟師にならねぇか？」などと、オルフェウス君を称えたり勧誘したりしてるけど、うちの護衛兼パーティーのリーダーなのでダメです。

これだけ大きな塊肉だったけど、新鮮だからか脂身も甘くて赤味の部分も柔らかい。部位によっては筋ばかりらしいけど、そこは別の料理に使うとのこと。

揚げたり焼いたり煮込んだり蒸したりと、昨夜の海鮮フルコースとは打って変わって、今夜は猪肉のフルコースだ。

ああ、いくらでも入る……わけもなく、やっぱりひと口ずつ食べてフィニッシュ。

デザートの揚げパンのようなお菓子は入らなかったので、明日の朝食で出してもらうことにしたよ。

子白虎シロさんおすすめの、海に面した温泉のある宿は部屋が戸建てのコテージになっている。

護衛も一緒に泊まるからと、一番大きな部屋をとったらプールがついていて、モモンガさんと子白虎シロさんが真っ先に飛び込んで泳いでいる。

「なんで海に入らなかったの？」

「塩っぱいとベトベトするの」

「きゅっ（我も同じく）」

あれ？　いつの間にか仲良しになってる？

私も泳ぎたいと思ったけど、深さがお父様の身長よりもあるとのことで断念。

前の世界では泳げたけど、今の私は溺（おぼ）れるイメージしかない。体力というよりも運動神経的な面で……ぐぬぬ。

この国の宿は、王国よりも「リゾート」って感じがすごい。やはりトップが転生者（仮）だからかなぁ。

前世で私が行ってみたかった観光地みたいなのが、ちらほらあるんだよね……。

ここ最近は色々な温泉を満喫しているからか、お肌ぷるぷるもちもちになっているとマーサとエマに褒められたよ。やったね！

32　守るために戦う決意をする幼女

コテージの宿は、控えめにいって最高の寝心地でした。

そして暑いからと半裸で添い寝してくれたお父様の筋肉たるや……。

波の音（と筋肉の厚み）って……癒されますよね……。

宿の人が「シュリ町は台風が多いから、今の時季が一番いいよ」と教えてくれたよ。

ちょうどいい時季が年中無休じゃないのは四季のある国の特徴だけど、ままならないもんだね。

つまり、今が観光シーズンではあるらしい。

それにしては外に出ている人が少ないような気がする。

「暑い時季は夜の方が賑(にぎ)わうの。お子様は寝ている時間なの」

「そうだったんだー」

「護衛の立場からすると、人通りの多い場所は避けてほしいんだけどなー」

子白虎さんの言葉に少しがっかりしていると、すかさずオルフェウス君から独り言のようなツッコミをいただきました。ちぇー。

おっといけない。私も一応護衛ってことで付いてきたんだっけ。

「ユリちゃんは観光を楽しんでください。そのほうが平和な気がします」

「へいわ」

「ほら、毛玉を持って大人しくしてろよ」

「けだま」

朝食は宿の人がコテージに持ってきてくれた。

昨日お腹いっぱいで食べられなかった揚げパンみたいなのとか、海藻(かいそう)の出汁を使った麺(めん)料理とか。

ラーメンでもなく、うどんでもない麺料理……これは一体？　米粉の麺かな？

猪の甘辛煮がのってて、そこから出る味が出汁と合わさって味の変化を楽しみながら食べるので、おいしくて手が止まらなくなる。そしてフォークでも食べれるような麺の太さは、不器用な幼女にもありがたい麺料理です。

「朝食が終わり次第、一度本邸に戻る」

「俺は待機してる、ます」

「私はユリちゃんに付き添います」

「うむ」

お父様の言葉にハキハキと答えるオルフェウス君とティア。

子白虎さんはオルフェウス君と一緒に残るだろうし、ようやく起きたモモンガさんは食欲マシーンと化しているから待機組かな？

「きゅっ（我も主と行くぞっ）」

「そうなの？　おなかだいじょうぶ？」

「きゅきゅっ（心配するな。我は元気だ）」

いや、元気なのは分かってるけど、お腹空いているなら食事していたほうが良くない？　あ、食事はいらないいんだっけ。

シュリ町は暖かいから、冬眠の危機を脱したようだけど、食欲はそのままに見えるよ。これはいよいよ食いしん坊の称号を贈る日も近いね。

「きゅっ（主の成長を助けるため、我は精霊界にある本体から力を持ってきたのだからな）」

そうだったんだね。ありがとう。

……え？　今なんて？

「きゅきゅっ（このままだと主の成長が止まってしまいそうだからな。我が手伝うのだ）」

食っちゃ寝ばかりしている、ぐーたら食いしん坊毛玉だと思い込んでいたよ。

ごめんねモモンガさん！　ありがとうモモンガさん！（秘技、手のひら返し）

さて、お屋敷に戻ってからマーサとエマにギュギュッと全身を揉みしだかれ、さらにギュギュッと磨かれたよ。ふぇぇ。

海で遊んだり強い日差しの中を歩いたせいか、髪と肌がちょっと日焼けしていたみたい。幼女だしそこまでやらなくても……とは思う。

「お嬢様、未来で後悔しても遅いのですよ」

「侯爵令嬢として、しっかりおめかししましょうね」

マーサの言葉の重みと、ほんわかしたエマの言葉の温度差が激しすぎる件。

はい。大人しく従います。遠慮しているのか首を横に振っているティアを道連れにします。

朝の執務を終えたお父様とセバスさんにしっかり褒め称えられてから、南のシュリ町に戻った私たちは、謁見の時間まで町を散策する。

おめかしして、お父様とデートですよ！

南国特有の、色とりどりの花が店先に飾ってあって、木と藁のような素材で作った露店が多くある。人が住んでいる場所は、かなり頑丈に造られているっぽいのに、お店は適当な感じなの何でだろう。

「ここは台風や嵐が多くある。家財を置く建物だけ頑丈にしているのだろう」

「そうなのですね！」

むしろ飛ばされるように軽い素材で造られているんだって。へぇー。

しばらく歩いていると、懐かしくも香ばしい匂いが漂ってきた。

これは念願の……焼きそば発見！　したけれど……。

「おなか、いっぱい……」

「謁見の時間まで、まだ時間がある。昼食として買って帰ろう」

「ベルとうさま……ありがとう！」

うわーん！　お父様、大好きです！

皆と一緒に焼きそばを食べながら、コテージでお迎えを待つことにした。

昨日狩られて配布されたという猪肉を使っていて、ちょっとピリッとする香辛料が入った甘辛のソースが私の好みど真ん中だったよ！　おいしーい！

食後にスッキリとしたハイビスカスティーをいただいていると、子白虎シロさんが朱雀さんについて教えてくれる。

「朱雀は海にいるの。だから、海の見えるここで待ってて問題なしなの」

「うみのなかに、はいるの？」

水着持っていないけど大丈夫かしら？

「お嬢様、精霊がいるのでお召し物は問題ないかと」

私の疑問に答えるセバスさんの発言に、オルフェウス君から「心配はそこじゃねぇだろ」とツッコミが入る。

そういえば海の魔女と戦った時は、モモンガさんが色々やってくれたんだっけ。

それと……普通心配するのは水着じゃなくて呼吸とかだよね。今、気づきました。えへへ……って、そういうことでもない。

いやいや！　この謁見、不安なんですけど⁉

「きゅっ（案ずるな主よ。我がついておる）」

「本当は陸に館を造ろうとしたんだけど、朱雀は自分の出してる火が熱いからって海の中に住んでいるの。変わり者なの」

そういえば、沖縄の神様は海の中にいるんだっけ。この世界では朱雀も住んでいるとは知らなかった。少なくとも私の世界観や設定にはない。

つまり、この世界の神々や、私の考えつかないようなことが起こる『東の国』とは、自分じゃない誰かの世界から来ているということになる、と思っている。

まだ確信はしてないけどね。

やれやれ。この国の神様、話が通じるタイプの人だったらいいなぁ。

考えながら遠い目をしていると、海からキラキラしたものがコテージに向かって来るのに気づく。

「来たみたいなの」

え、何？　何が来るの？

身を乗り出して見ようとする私を、素早く抱き上げたお父様は目の前に氷の壁を作りあげる。

え、何で氷の壁？

「結界を作ります！」

「侯爵サマ！　前方から飛来物！」

「攻撃はするな。守りに徹する」

ティアの結界で、キラキラしたもののスピードは落ちたけど止まらない。つまり悪意はないということだ。

オルフェウス君は身構えてはいるけれど、お父様の指示通り待ちの姿勢になっている。

「旦那様、精霊を使っても？」

「許可する」

お父様の許可をもらったセバスさんは、優雅に一礼すると薄い緑色の光を手にまとわせてキラキラにぶつける。

攻撃……ではないみたいだけど、キラキラの動きは止まる。そしてそのままコテージの手前にぽてりと落ちた。

「なんだこれ？」

真っ先に確認しに行ったオルフェウス君は、鞘におさめたままの剣でツンツンしている。

お父様に抱っこされながら覗いてみると、白く半透明な丸いクッションのようなものが砂浜に散乱している。これがキラキラしていたのだろうか。謎だ。

「シロ、これ何だ？」

「妾も見たことがないものなの。でも、朱雀の気配がするの」

オルフェウス君の言葉に、丸形クッションを前足でツンツンしながら答える子白虎シロさん。

ということは、思いっきり攻撃（？）してたけど、これは朱雀さん管轄の丸形クッションなのでは……。

思わずセバスさんを見る。

「動きを止めただけで、害を与えたわけではございませんよ」

「よかったー」

「良くないの！　壊したら怒られるの！」

そう言われましても、うちのセバスは有能で万能ですから、この件について怒られるようであれば全力で立ち向かう所存。

売られたケンカは買うぞと、拳を固く握りしめる私（ようじょ）の背中を、お父様が宥（なだ）めるようにポンポン叩いてくれる。

「その意気や良しだ。ユリア」

「良し、じゃないの！」

やだなぁ、冗談ですよ。

33　やりたいようにやる少女

子白虎シロさんと冗談と見せかけた本音トークをしていると、砂浜にいた半透明の丸形クッションたちがプルプルと震える。

何事かと全員が身構えると、丸い部分に何やら赤い光で模様が浮かびあがり、キラキラと輝き出す。

「落ち着いてほしいの！　これは朱雀の印なの！」

「こちらは落ち着いている。攻撃を受けたら反撃するまでだ」

「攻撃してこないの！」

確かにそうかもしれないけど、その丸形クッションたちには意志のようなものが感じられないから、つい身構えてしまうのだよ。

そう考えながら丸形クッションたちを見ていると、少しだけ怯えたように震えながらゆっくりと浮かび上がってフラフラと海へ向かっていく。

するど、海の水が丸形クッションたちを避けるように道が作られていく。モーセ？

「何かと思ったら、案内人だったの」

「シロも知らないのか？」

「朱雀は色々なモノを作るのが好きなの。終わりと始まりを司っているからか、四眷属会議でも、毎回知らないモノを出されるの」

「侯爵サマ、どうします？」

「案内に従う」

そう言って私を抱っこしたまま進むお父様。

気づけば砂浜も硬くなっていて、靴が汚れることはないみたい。私は歩いていないけど。

丸形クッションたちは、私たちを囲むようにして海の中を進んでいく。海の水は壁になっているから、前世で見た水族館の水槽みたいだ。

派手な色の魚が群れをなしていたり、大きなエビが岩にいたりする。

ちなみに私たちが歩いているところに魚が落ちてピチピチしてたりはしない。すごいぞ丸形クッション。

「前に海の中に入った時は暗くて見えませんでしたが、光が入ると圧巻ですね」

「すげぇよな。でも、こいつら食べられないんだろ？」

感動するティアの横で食欲全開のオルフェウス君。会話しながらも、二人は周囲を警戒するのを忘れていないようだ。私は忘れていた。

歩くことしばし、岩で造られた鳥居のようなものが目の前に現れた。地面には丸形クッションと同じ模様が赤く光っている。

「これは知っているの。朱雀の住処に移動するの」

「旦那様」

「かまわん。全員で入る」

なぜか怯えたように震える丸形クッションたち。お父様の言葉に何か含むことを感じたのかな？

大丈夫だよ。案内するだけなら何もしないよ。たぶん。

鳥居を潜れば、他の館と同じような薄墨色の建物があった。そして丸形クッションがひとつ、震えながらキラキラと光っている。

「すっかり怯えているの」

「何の説明もないからだろ。シロも頼りにならねぇし」

「朱雀は、さぷらいずってやつが好きなの」

サプライズ？　うーん。ここに来るまで色々あった私たちには悪手だったと思うよ。

子白虎シロさんの言葉に呆れ顔のオルフェウス君。未だ警戒しているティアに大丈夫だよと手を振ったら、ほんわか笑顔を返してもらったよ。癒されるぅ。

丸形クッションの案内で、朱色に塗られた廊下をペタペタ歩いていく。もう見慣れた赤い光の模様が描かれている襖が現れ、スルスルと両側に開いた。

「初めまして。『東の国』へようこそ」

広い部屋の奥には、畳十畳ほどの大きな桶がドドンと置かれている。そこにすっぽりと入った朱色の鳥がいて、パシャパシャと水浴びをしている。

それにしても……大きいな。この鳥。

「朱雀！　お久しぶりなの！」

「いらっしゃい白虎の分体さん。いつも元気で羨ましいこと」

気怠げに言葉を紡ぐ朱色の鳥……朱雀さんは、やたら長い睫毛をファサファサと揺らして瞬きをする。

なんというか、貴婦人という雰囲気の鳥というか、浮世離れしている感じ？

鳥の姿をしているし、神の眷属だから浮世を離れているものなんだろうけど、玄武さんとはまた違った「ズレ」を感じる。

「妙な迎えをよこして、大変だったの！」

「あら、気に入らなかった？」

「そういうことじゃないの……もういいの……」

元気っ子のシロさんが疲れたようにため息を吐いていると、朱雀さんは楽しげに目を細めた。

「他の神の眷属たちのように、わたくしは試したりしなくてよ。我らの神を救う方々ですもの」

「それは……っ!!」

子白虎シロさんが毛を逆立てて反論しようとしたけど、しゅんとして俯（うつむ）いた。試すっていうのは何だろう？

「魔力が安定したようで何よりだけど、うちの者たちが粗相（そそう）をしたみたいね。申し訳なく存じます」

「うう、ごめんなの」

桶に入ったまま、丁寧に一礼する朱雀さんと、振り返って私たちに頭を下げる子白虎さん。

そうか。私の寝込んだ事件は「試し」の結果だったのね。もう終わったことだから気にしてないですよ。魔力操作も上達したことだし結果オーライだもんね。

ところで朱雀さん、私たちにセクシーな水浴び姿を見られていても大丈夫なのかな？

「こんな姿でごめんなさいね。そろそろ終わりになるから、水に入っていないと体が燃え尽きてしまうの」

「えぇっ!?」

驚いた私は、お父様の抱っこから落ちそうに……ならなかった。お父様の筋肉は安定感抜群です。

それよりも、まさか朱雀さんは……。

「朱雀はね、燃え尽きた灰から蘇るの。ただ、一度灰になったら蘇るまで一ヶ月くらいかかるの」

「我らの神が外交官を接待しろと言うから、なるべく毎日海に入って体を冷やしていたのだけど、羽毛の周期を調節するのって意外と難しいのよ。おかげで、このあたりの魚は呪いにかかってしまうし、困ったものね」

「うもうの、しゅうき？」

「古くなったら生え変わる生理現象みたいなものかしら。羽毛が無いと体が燃えるから、そのまま灰になってしまうのよ。やだ、恥ずかしいわ」

なんと。朱雀さんが燃える理由が換羽だった件。そして今の会話で恥ずかしがる要素ってあった？　羽毛のくだり？

そうそう、朱雀さんに聞きたいことがあったんだ。

私は腕に成長の魔法陣が刻まれた布を素早く巻き付け、お父様から飛び降り……られなかったので抱っこ継続のまま質問することにしたよ。ちょっと恥ずかしいよ。

「質問いいですか！」

「どうぞ、稀なるお姫様」

お、お姫様？　いや、今は放置しておくとして。

「玄武さんに、貴女と神様の願いを聞いてほしいって言われました。私たちは何をすればいいのですか？」

「あら、わたくしも？　玄武ったら相変わらず夢を見ているのね」

朱雀さんの言い方だと「自分は対象外」と聞こえるけど、実際は神様と朱雀さんのセットという感じだった。だから両方の願いの内容を聞かないとダメだと思う。

「お姫様は、とてもやさしい子ね。わたくしはね、我らの神の……あの御方の大切な人から生まれたの。だから、他の神の眷属とは少しだけ違うのだと思う」

「朱雀は仲間なの！」

子白虎シロさんは、朱雀さんに近寄ってグルルと悲しげに喉を鳴らしている。

「玄武さんは焦っていました。でも急がずにとも言われました。朱雀さんの様子から焦る理由があったと思いますが……」

「我が神の願いを叶えたい。けれど、それを急いでほしくないというのも、わたくしたちの願いなの」

「神様の願いって、悪いことですか？」

「いいえ」

うーむ。何をどうすれば正解なのかが分からなーい！

すると頭に温かい物体がモフッと乗っかる。モモンガさん？

「きゅっ（主が気にすることではない）」

でもさ。この国は懐かしいモノとか、おいしいモノがたくさんあって。色々な種類の温泉もたくさんあるんだもん。そういうの全部がこの国の神様のこだわりだと思うんだよね。

「きゅきゅっ（うむ。だからこそ、主が気にすることはないだろう）」

慰めるようにモモンガさんは私のおでこを前足でてしてしと叩く。それを甘んじて受けていると、私を抱っこするお父様の腕の力が少しだけ強くなる。

「ユリア」

「……はい」

「お前の好きにするといい。獣たちは言いたいことを言う。だから、ユリアもやりたいようにするといい」

「ベルとうさま……！　はい、そうします！」

お父様の言葉に背中を押されたというよりも、これまでずっと側にいてくれたから、何があっても大丈夫という安心感が迷いに勝ったのだ。

スッキリした気持ちで前を向くと、朱雀さんは睫毛のような羽毛をファサッと動かして目を細める。

そして、小さな声で「ありがとう」と言ってくれたのだった。

34　主人公の謎を解きたい少女

「なんかよくわからねぇけど、お嬢サマが楽しいのが一番だよな、です」

「ユリちゃん。私たちもいますからね」

「ありがとう！　オルリーダー、ティア！」

ようやくお父様の抱っこを解除してもらった私は、オルフェウス君とティアにハイタッチ（身長的に向こうはロータッチ）をした。

そういえば、謁見なのに自己紹介とかしてなかったなぁーと思って朱雀さんを見たら、桶にはこんもりと灰の山がある。

え？　なんで？

「さっきまで話していたのに……」

「大丈夫なの。一ヶ月後に蘇るの。これ、預かったから渡しておくの」

そう言って子白虎シロさんは身を震わすと、人数分の木札が現れた。

これで、四枚揃ったんだけど……灰の山が気になってしょうがない。

「ユリア？」

「ベルとうさま。少し、無茶してもいいですか？」

「もちろんだ」

あっさりと答えるお父様が素敵すぎる。その後ろに控えているセバスさんが何か言いたそうにしていたけど、私が笑顔を向けると一礼した。いつもご迷惑おかけしてます。

「モモンガさん。ちょっと手伝って」

「きゅっ（うむ。今回は果物で手を打とう）」

灰の中から蘇ると聞いてはいるけど、なんだかすごく引っかかっている。

終わりと始まりを司っていて、火の象徴にも拘わらず、熱いからと海に潜っていたということ。

その事でまわりの魚たちを毒持ちにさせたということは、何かしら「不具合」が出ていたのではないだろうか。だって、朱雀さんが海に入らなければ毒持ちにならなかったということでしょう？

「ティア、さっきの朱雀さんを見てどう思った？」

「……それは神官として、ですか？」

「ユリちゃんも気づいていたのですね。彼の御方には呪いがかかっていたように見えました」

「うん」

「解除できる？」

「ええ。神器もありますから、引き剝がすだけならなんとかなりそうですが……よろしいのですか？」

「もちろん」

これがこの先、どう影響するかは分からない。それでも目の前で苦しんでいる誰かを、そのままにしておけないよ。ただし悪人は除くけどね！

「お願いなの。朱雀を、助けてあげてほしいの」

ここに来てから精一杯、元気に振る舞っていたのだろう。子白虎シロさんの涙腺が崩壊して大粒の涙が溢れ出している。

そう、私が気づいたくらいだ。仲間が大変なことになっているのは分かっていたと思う。それでも朱雀さんは「呪われたままでいること」を望んでいたということだ。

「そうはいかないよ！　オルリーダー、お願い！」

「おうよ！」

ティアに祝福してもらった光に満ちた剣を抜くオルフェウス君。朱雀さんが入っていた桶のまわりを舞うように剣で何かを斬るような動作を繰り返している。

うん。ごめん。何かしてくれるかなと思って声をかけてみたけど、まさか何もない空間を斬るとは思わなかった。

おや？　ちょっと待てよ？　これはもしかしたら……。

魔力を視る目に切り替えた私は、オルフェウス君が斬っている「何か」を理解した。

「ユリア、こっちだ」

「でも……」

「セバスもいる」

お父様に抱き抱えられ、灰の山から離れる私たち。予想はしていたけど、あんなにいるとは思わなかった。

そして土の異形として出てきた時、この目を使わなくて良かったと思ってしまった。うぇぇ。

あっ！　このままだとオルフェウス君が危ないのでは!?

「俺は大丈夫だ。ティアの祝福もあるし、何となく気配が分かるからな」

「不肖の弟子ですが、この程度でやられるような鍛えかたはしておりませんよ」

オルフェウス君のフォローにセバスさんが入っている。強すぎる二人が組んでいるなら大丈夫かなと思いながら、私はモモンガさんと一緒に灰の山へ魔力を流している。

灰の山に群がっていた『ハイイロ』は、標的を私に変えたけど時すでに遅し。こちらは万全の態勢（おとうさま）で立ち向かっているのだから。

「ユリア、呪いもあるが『ハイイロ』の穢（けが）れがある。無理をするな」

「大丈夫です！　ティア、お願い！」

「神よ、我らに祝福を」

謁見で朱雀さんが呪われているのを知った時、私の魔力にティアの祝福を混ぜてバチコーンとかましたら呪いを消せると思っていた。

でも、オルフェウス君のおかげで『ハイイロ』の仕業だと判明してから、むしろこれは好都合だと思ったよ。

なぜなら、私は以前『ハイイロ』を魔力という物理（？）で「ちぎっては投げ」を経験している系女子だからね。

「きゅっ（主、いつでもいいぞ）」

「もうちょっと！」

久しぶりの魔力操作だから難しいと思っていた「凝縮」をやってみたら出来たので、せっかくだから倍の倍で魔力を込めてやろう。ふははは！

「きゅきゅっ（これ以上は無理だ、主！）」

「モモンガさん、お願い！」

私の頭の上にいたモモンガさんはフワリと舞い上がると、一気にスピードを上げて灰の山へと滑空して行く。

精霊の力を使い、精霊界へ移動する裂け目から巨大な精霊石を取り出しながら、だ。

うん！　私はそんな巨大なものは発注していないよ！　モモンガさん！

そもそも、だ。

この世界での呪いとは、何かの力を伴(ともな)って発動するものだ。

お父様が自身の魔力で体に魔法陣を刻み込むという禁呪もある種の呪いだったし、私が子猫になった時は森の魔女さんの力だけじゃなく、私の「意思の力」も呪いを維持させていた。

今回の朱雀さんはなぜか呪いを受け入れていたので、私の時と同じ「意思の力」が発動していたと思われる。

説得して呪いを解除することが出来たかもしれないけど、朱雀さんは灰になる寸前だったし、そうなると説得して「意思の力」を解除させるのは難しくなっただろう。

そこで、思い出したんだよね。精霊石の存在を。

精霊界にある精霊石は『世界の理』の近くに発生する強い力を持つ石だ。

呪いは何らかの力で発動する。つまり「力には力をぶつければいい！」などという脳筋な理論が私の中で生まれたのだ。

「でもね、精霊石が欲しいとは言ったけど、私はここまで大きな石とは言ってないかな」

「きゅっ（大きければ砕けばいいだろう？）」

「そういう問題じゃないと思う」

神の眷属さんたちの館はある程度の広さがあるけど、それにしたって大きすぎる。灰の山が入っていた桶は潰れていて、なんかもう大惨事という感じだ。

「毛玉、やりすぎだ」

「きゅっ（冷たい！　魔力をぶつけるな氷の！）」

お父様がモモンガさんに冷たい魔力を連続でぶつけている。

いいぞ！　もっとやってください！　私だとモフモフを甘やかしてしまうので！

「びっくりしたけど、助かったの。アレも入ってこなくなったし、ありがとなの」

「ピヨ！」

お礼を言う子白虎シロさんの頭の上には、朱色のヒヨコがピヨピヨと鳴いている。かわいい。

いつもなら成体で蘇る朱雀さんだけど、今回は一ヶ月を待たずに蘇ることになったから幼体なのだそう。

何を言っているのか分からないけど、子白虎シロさんには神の眷属の繋がりで意思疎通できるとのこと。怒ってないみたいで良かったです。

「もう水に入らなくてもいいのか？」

「ピヨ」

「そっか。良かったなピヨスケ」

「ピヨピヨ！」

「いいじゃねぇか。こいつもシロだし、お前はピヨスケでも」

「ピヨー！」

シロさんはともかく、なぜオルフェウス君も朱雀さんと意思疎通できているのか謎すぎるのですが。

「きゅっ（黒いのは我とも普通に会話するぞ）」

ほんと謎すぎるよね。さすが主人公……なのかな？

35　いざ本命を前に緊張する幼女

南のシュリ町のコテージに戻った私たちは、子白虎シロさんの頭の上でピヨピヨ鳴いているピヨスケな朱雀さんを囲んでいる。

館から離れるから分体を出すのかと思ったら、灰があるから大丈夫らしい。

あの灰の上に大岩みたいな精霊石が乗っかっているんだけど……。

「ピヨスケ……じゃない、朱雀が大きくなれば灰は消えるの。だから大丈夫なの」

「それなら、よかったです？」

久しぶりにたくさん魔力を使ったので幼女に戻った私は、ソファーで寛ぐお父様の膝の上で寛いでいる。

セバスさんは相変わらず立っているし、オルフェウス君とティアはコテージに設置されているハンモックチェアに座っているよ。

私も座りたかったんだけど危ないからって許されなかったのだ。ぐぬぬ。

「ユリア、後で」

「あい」

お父様の見守り付きなら座れそう。嬉しいけどぐぬぬ。

「それで、朱雀から教えてもらったことがあるの。君の……君たちの環境と魔力の安定についてなの」

「わたしたち？」

魔力の安定といえば、私が丸三日ほど寝込んだあの件なら、子白虎シロさんが関わっていたことだ。

それと、皆の環境とは？？？

「朱雀が言うには、人が揃っていないからその分魔力を安定させるのに負荷がかかっていたみたいなの」

「人が揃ってない？　なんだそれ」

「私たちに何かが必要ということですか？　それなのに不足という表現ではないのですね」

シロさんの言葉にオルフェウス君は首を傾げ、ティアは言葉について考えているみたい。

そして私はというと……もちろん前世で自分が書いていた小説について思い出そうとしている。

がんばれ私の記憶力。

この世界で目覚めてから、私の行動やまわりの人たちの変化によって、自分の書いた小説の流れから全く別のものになっているはずだ。

だから、人が揃ってないみたいな言い方をされても困る。

そもそも別の物語になっているのだから、揃うも何も……。

「あっ」

「ユリア？」

私たちは今、旅をしている。

お父様の外交目的だとしても、観光をしていたとしても、私たちがしているのは「旅」だ。

前世で由梨が書いていた小説では、キャラクターが冒険していた。

つまり、それも「旅」ということになるよね。

「そろっていない。わかったかも」

「どういうことだ」

お父様の表情が「無」になっていく。もちろん私にとってお父様はなくてはならない存在だし、離れることは考えられない。

私を見ているお父様の表情が緩んでくる。うん。あまり私の心を読まないでください。ちょっと恥ずかしいです。

「お嬢サマ、何が……いや、「誰」がいないんだ？」

「これまで旅をしている間に、色々な人と会ってます。ユリちゃんのお兄様やペンドラゴン様、私の父にも会いましたよ」

オルフェウス君は警戒するような表情だから、何かを感じているのかもしれない。ティアは旅の間に会った人たちを思い出しているようだ。なるほどいい線いってるね。

「たぶん、イザベラちゃん」

「はぁ？」

「イザベラ様……ですか？」

オルフェウス君とは色々あった幼馴染だけど、ティアは普通に話していた気がするイザベラちゃん。彼女は私が前世で書いていた小説のヒロイン候補であり、元気系の幼馴染キャラクターだ。

この世界で初めて会った時は乙女ゲームの悪役令嬢キャラのようになっていたから驚いたけど、なんやかんやでイザベラちゃんは聖女の力が使えるようになってしまった。現在は学園に通って勉強の日々を送っているらしい。そしてなぜか王太子殿下に言い寄られているらしい。（お兄様情報）

もし、揃っていない人というのがイザベラちゃんであれば、何らかの形で補填（ほてん）する必要があるのかもしれない。

この世界は私の小説に似ているから、何かしらのバランスを取る必要があるのだろう。なぜなら白虎さんに会うまで私の魔力が安定していなかった理由も、そこにあると思われるから。

さて、どうしたもんか……と考えていたら、ふと今いるメンバーからセバスさんを当てはめてみようと思いつく。

「申し訳ございません、お嬢様。ツインテールDE縦ロールは無理です。毛量的に」

「師匠の付け毛……？」

オルフェウス君の言葉に「超合体ツインテ・セバス・ロボ」が脳裏をよぎり、飲んでいたミルク入りのハイビスカスティーを噴く私。

そして、オルフェウス君は目にも留まらぬ速さでコテージから吹っ飛ばされていた。

「ご安心を。不意の攻撃を避ける修行でございます」

まったく安心はできないけれど、今回の原因は私にありそうだからね。賢い幼女は黙して語らずってやつだ。

オルフェウス君、文字通りとんだとばっちりだったね。ごめんね。

「揃っていないという人員がイザベラ様であったとしても、今から合流するのは難しいと思いますが……」

まったく動じずに会話を続けるティアがすごい。慣れ（？）とは恐ろしいものですな。

確かにイザベラちゃんを合流させたら王太子殿下がうるさそうだし、お忙しいお兄様に頼るのは色々と心苦しい。

「ユリア、今すぐ動く必要はない。この国の神との謁見後に考えよう」

「あい。ベルとうさま」

新しいミルク入りのハイビスカスティーを渡された私は、名物のケーキクッキーを頬張るのだった。

ちなみに、オルフェウス君は数分後にずぶ濡れで戻ってきたよ。ほんとごめんね。


「じゃあな。シロ、ピヨスケ」

「妾は神の眷属なの！　もっと敬うの！」

「ピヨー！」

それでもオルフェウス君に撫でられている二匹……御二方は、少し寂しそうにしている。私も寂しくなってきたので、肩にいるモモンガさんをモフモフした。

コテージで追加の宿泊をした翌朝、私たちが朝食をとっていると『東の国』を統治する神様と謁見できるという知らせを受ける。

　四眷属の木札を全て手に入れてから、すぐに謁見の許可が出たと子白虎シロさんが教えてくれたのだ。

「朱雀を助けてくれた功績もあるの。我らの神もお喜びだったの」

「海の浄化もあるだろう。精霊石はそのままにしておく」

　お父様の言葉に喜ぶ獣たちだったけど、たぶん外交に使おうとしているんだと思うよ。言わぬが花ってやつだから幼女は無言だよ。

　私たちの監視は終わったみたいだから、獣たちとはここでお別れだ。モモンガさんもモフモフ仲間との別れが寂しいみたい。

「きゅっ（いや、我は精霊王だ。モフモフではない）」

　照れなくてもいいのですよ、モモンガさん。

　というわけで、コテージの宿から歩いてすぐにあるエキから、神の館まで直通のデンシャに乗る私たち。

　すでに何度か通り過ぎている『東の国』の中央は、デンシャの中からでもわかる都会的な賑わいをみせている。前に通った時はよく見えなかったけど、やっぱり国の中心ともなると栄えているんだなぁ。

　揺れるデンシャ内でも安定感抜群なお父様膝抱っこで、のんびりすること二刻ほどで中央のエキに到着した。

「ようやく最後かぁー。俺らも神サマに会えるのかな？」

「会えるとしたら、私は少し複雑な気持ちです」

オルフェウス君はともかく、ティアはこの国の神様の神官じゃないもんね。

さてどうしたもんかと思っていたら、セバスさんが「食事にいたしましょう」とオシャレなレストランに案内してくれた。

なんと言ったらいいのか、ここは前世の東京駅周辺の雰囲気がある。

綺麗に整備された道や建物の中、前世と違うのは観光用の小さなデンシャが間を置かずに行き交っているところだ。デンシャは『符』で作られた馬のようのものが引いているし、風景としてはファンタジーなんだよね。

そしてこの国は（幼女の体力的な意味でも）あまり歩かなくてもいい交通手段があるのは嬉しい。

レストランにはテラスがあり、そこで昼食をとることになった。

メニューは和食っぽいのが多く見えるけど、洋食もそれなりにあって前世のファミレスを連想させる。なんだかちょっと心が和んだところで気づいたよ。

うん。正直ちょっと緊張しているのだ。

きっとこの国の神様は、私と同郷だろうし、色々話したいことや聞きたいことがある。でも、もし私が同郷だと知って、さらに私の書いた小説の世界と似ていると知ったとしたら……。

お父様に小さくカットしてもらった卵たっぷりのサンドイッチをもぐもぐしながら、少しだけ後ろ向きな思考になってしまう幼女なのでした。

36　その呼ばれかたは前世ぶりの幼女

私は気づいた。

お父様の外交についてきたという体裁があったということに。

「お嬢様、今回は『東の国』の文化に敬意を表したということで、ご用意いたしております」

むしろ、さすセバが神だった件！　これで一本小説が書けるね！

オルフェウス君とティアは護衛のお仕事もあるから今回は断念するけど、国の代表であるお父様と護衛だけど貴族の端くれである私がいるわけで。

せっかくだから、今回は『東の国』風のお着物で行きたいと思います！

「ユリア、そこまでキモノ……とやらを着たかったのか」

「これまで服装にご興味のなかったお嬢様も、成長なされたのですね……」

お父様とセバスさんがしみじみと言っているけれど、そうではないのですよ。

着物姿のお父様、見たくないですか？　見たいですよね？？？

私は見たいです!!

あっという間に着物の店を探して着付けの予約をしてくれたセバスさん。

レンタルも購入もできるとのことだけど、お父様は買う一択でした。普段着ているドレスよりも安いと言われたよ。これからは着物で生活するかな？

お屋敷に戻ったらお兄様にも見せたいから買ってもらえるのは嬉しい。マーサとエマは着付けできるかな？

私の着物はお父様が選んでくれた。薄紫から薄紅へとグラデーションになっている生地に、花の模様が裾（すそ）や袖にたくさん入っているものだ。

着物と同じ生地のお飾りと、同じ生地の色違いの布で作られた巾着も、とにかく可愛い。

ただ……ちょっとだけ七五三っぽい。ちょっとだけ、ね。

お父様の着物は訪問着という感じで、羽織りを身につけているので正装……なのかな？

前に見たメイアンさんは羽織袴（はかま）だったけど、お父様は羽織はあるけど外出着って感じのものだ。

「先方からは普段着で来てほしいという要望がありまして」

「え、それじゃあ……」

「お嬢様はよろしいのです。これは国だけの問題ではないのですよ」

なぜ私の着ている服については世界規模の問題になるのだろうか。

セバスさんの謎発言は置いておくとして。

お父様のお着物は裾からちらほら、ね。足が見えるじゃないですか、ね。

ああ、お父様さすがです。何を着てもお似合いになるとは知っておりましたが、お着物までとは……その美しい御尊顔には手を合わせたいところです……なむぅ……。

「この靴は歩きづらいな」

「いざとなればお脱ぎになられて、このタビというものでお歩きください」

「ほう……これは動きやすいな」

この国の足袋は底が分厚くてしっかりした作りになっている。これなら靴としても使えそうだね。


神様の住居については、外から分かりづらくなっているとのこと。

セバスさんが連絡を受けたのは「不動産屋」と書かれた看板のある店の前だった。そして店休日の札が下がっている。入ってもいいのか悪いのか悩むね、これ。

「このおみせに、はいるの？」

「はい。入り口は毎回替わるそうですが」

「なるほどー」

私は草履でペタペタ……は歩かず、今回はセバスさんの抱っこだ。

お父様が歩き慣れていない靴に悪戦苦闘することもなく、すいすい歩いているのが羨ましい。前世ではあまり着物にいい思い出はないけれど、こうやって大好きな人が着てくれるのを観賞するのはイイよね。

セバスさんが全員分の木札を用意すると、ひとりひとりの目の前に浮かび上がる。

そして、不動産屋さんのドアが開いた。

ちょっと怖くなった私は、セバスさんからお父様の抱っこに切り替えてもらう。謁見の時におろしてもらえばいいよね？　いつもとは違うお香の香りをくんかくんかしながら、皺にならないよう着物にしがみつく手に力を入れないようにする。

もちろん、中に入れば不動産屋ではなく、真っ直ぐに続く廊下があるだけだ。

「……また、分断されたか」

「ふぇ？」

まわりを見ると、廊下に立っているのは私を抱っこするお父様だけになっていた。

入ってきた入り口も消えていて、長い廊下は後ろにも続いている。

「安心しろ。セバスはどこかにいる」

「ほんと？」

「ああ」

まったく気配を感じないけど、どこかにいるとはさすがセバスさん。さすセバ。

でも、これは好都合だ。

お父様には全部知っていてほしいから一緒でもいいけど、できればここの神様とは二人で話そうと思っていたから。

「ああ」

廊下を歩いていると、やがてまわりが光に満ちてきて真っ白で見えなくなる。

あっ、お父様の衿が皺になっちゃうかも。

「構わん。つかまれ」

「あい！」

やがて目が光に慣れてきたのか、お父様の殺気のせいで光が弱くなったのかは不明だけど、目の前に現れたのは居心地のよさそうな茶の間だった。

六畳半くらいの部屋の真ん中にはちゃぶ台があって、お茶菓子の煎餅と緑茶のいい香りがする。

畳は少し色褪せていて天井は低い。お父様は背が高いから大丈夫かなぁ、なんて思ってしまう。

茶箪笥の上には黒電話が載っていて、ブラウン管のテレビまであるし……なんというか前世でいう昭和レトロというか、もしやこの部屋の主は昭和世代なのかしら？

すると襖がスルスルと開き、入って来たのは作務衣姿の細身の男性だった。

黒髪黒目黒縁メガネ。イケメンよりの顔なのに、無精髭に目の下にある隈のせいで残念な感じになっている。

「神の茶の間にようこそ。靴……じゃない、草履は脱いでくれ。ミカンもあるけど食うか？」

「たべる！」

条件反射とはいえ、思わず元気よく返事をしてしまった。お恥ずかしい。

お父様は言われた通りに足袋を脱ぎ、私の草履を脱がせてくれて、部屋の隅にある「くついれ」と書いてある木箱に置いた。

あれ？　これ、日本語だよね？

「先生の保護者はハイスペックだからなぁ」

うん。確かにお父様はハイスペックで……。ん？　先生、とは？

「先生だろ？　ラノベ作家の本田由梨先生」

「えっ……えええええっ⁉」

◇とある転生者は神となる

前世は小説を書いていた。

いわゆるライトノベルというやつで、俺はラノベ作家と呼ばれる職業についていた。

結局その仕事も数年で終わった。

仕事が無くなったわけでもスランプだったわけでもない。

無理をしすぎて体を壊し、人生が終わっただけだ。

よくある話だ。そして俺はこういう死に方をするだろうと思っていた。

俺が小説を書くきっかけとなった作品の作者も、同じような死に方をしていた。だから、より死を身近に感じていただけなのかもしれない。

俺が生まれ変わった世界は、動物の姿をした種族が二足歩行している世界だった。

ごく普通の村で農家の次男として生まれた俺は、ここはまるで前世の自分が書いていた小説の世界のようだと喜んでいた。

成人した俺は家業を兄に任せ、王都で商人として働くことにした。前世の知識をフル活用して金を稼ぎ、悠々自適な暮らしをしようと思っていた。

そんなある日、英雄と呼ばれる者が現れたと大騒ぎになった。

名前を聞いた俺は全てを理解し、そして、絶望した。

ここは俺が前世で書いた小説に似た世界なのだと。

よりによってバッドエンドの物語の、だ。

俺は考えた。キャラクターのバッドエンドならば回避する小説を前世で読んだことがある。それは世界の流れを変えてしまうことで、大変そうだがなんとか生き延びたりしていたはずだ。

しかし、俺の作品はキャラクターのバッドエンドではない。

俺が転生したのは、ラストで世界が崩壊するという筋書きだった。


それからの記憶はあまりない。

世界の神となるような力を得てまで滅亡を回避させようと動いたが、どうにもならなかったのだ。

愛する妻や同胞たちの魂を集めて復活させようにも、滅亡した世界に命は生まれず足掻き、孤独な状態で気が狂いそうになりながらも何度も何度も力を使った。

やがて俺は、神の眷属を生み出すことに成功する。

眷属となったのは三人の同胞と愛する妻、四つの魂をコピーしたものだった。日本人だった頃の知識から、四神の姿と名を付けた。

彼らに元の人間の心は無く、無邪気な動物のようだった。それでも俺の孤独は癒やされていった。

俺の知識を吸収した神の眷属たちは、それぞれ個性が出てきた。

ある時、妻とよく似た目をしている朱雀が「別の世界を探してみては？」と提案してくれた。

今いる場所は、俺自身の内側に創った内なる世界だ。そこで魂を守っていたが、転生するには外の世界が必要なのではと朱雀が言ったのだ。

俺は探した。数百年ほど無の中を彷徨い、もう無理だろうと思った時に光を見つけた。

そこは、まさに理想の世界だった。

多くの種族、魔力に満ちた空気、そして何よりもゆるっとした世界設定……まさに理想そのものだ。俺がずっと守ってきた魂を転生させるにはうってつけの世界だった。

俺は世界の一部を間借りすることにした。

元々いた神々も俺の境遇に同情してくれて、これから繁栄させる予定だった場所をかしてくれたのだ。

俺の知識にある日本っぽい文化にしてほしいと要望されたので、しっかりそれを根付かせることもした。

愛する妻も、家族も、同胞も、皆がここで生まれ変わることができた。ただ獣人族にはなれなかったので、俺の神の力で加護として獣性を与えることにした。

神の眷属たちは俺を慕っていた。本当は俺も生まれ変わろうとしたが、俺が消えたら神の眷属たちも消える。そして間借りしている一部を安定させるために、神としての俺が必要だった。

俺は『ヒガシノカミ』として、この世界の一部になった『東の国』を見守ることにしたのだ。

いつか俺が消えても、連れてきた魂たちがこの世界に馴染み、大切な人たちが俺の世界の外側にある輪廻に加わることができるように……と。


俺の誤算は、神（おれ）の存在意義を国民からの「信仰心」に限定させたことだ。

どうせ神なんて廃（すた）れていくだろうと思っていたのに信仰心は薄れることはなく、人口も増えるから強くなるばかりだった。

さらに困ったことに、この世界の神々から仲間と認定されるくらい力がついてしまった。

そして、最近になって俺は気づいてしまった。

俺がラノベ作家になる前に憧れていた作家の、小説の世界に似ているということに。

なんとか国を安定させた俺は、この世界の神々と交流するようになって、自分の管轄以外の情報が集まるようになった。

そこで「フェルザー家の娘がとんでもないことをした」というものがあり、どこかで聞いたことがある家名だと思っていたら……。

俺が何度も読んだ小説『オルフェウス物語』の敵役（かたき）だった、というわけだ。

その情報によって、似ているのではなく、そのものの世界だと確信できたのだ。


神の眷属たちから、外交のために国（うち）にフェルザー侯爵たちが来ると聞いた時、俺は喜んだ。その中に噂の『世界の理』に触れた娘もいたからだ。

ある時『世界の理』が変化して、国の守りに隙間ができた。

それは悪いことじゃなく、俺がうまくつくれなかった隙間が偶然できたのだから結果オーライだった。おかげで外に出る国民が増えて、この国限定だった魂の輪廻も少しずつ外で回るようになってきた。

少し寂しいが、永きに亘っての望みでもあるから嬉しい事でもある。

それとは別に困ったことが起きた。

前にいた世界が崩壊した原因である『灰色の存在』が、国の守りの隙間から出入りするようになったのだ。

どうしよう。

俺が連れてきてしまった『灰色の存在』によって、この世界まで崩壊したら……。

フェルザー家の娘と会えたら礼を言おう。

そして、ちゃんと謝ろうと思う。許してくれるといいな。

……あの保護者がいるから無理か。

37　最高の幸せを約束する黒髪の少女

驚いた。とてつもなく驚いた。

なんと彼は私の前世の小説を読んでいたと言った。

さらに彼は私の作品を読んで作家になったと言った。

「実際に会うまでは分からなかったけど、神っぽいやつで見えた。黒髪の女の子が」

「そ、それは……あれ？　私、大きくなってる？」

「ユリアは今、宵闇の天使になっているぞ」

お父様ったら小っ恥ずかしい呼び名なんかつけて、やめてくださいよもう……って、髪が黒い？？？

作務衣姿の彼は茶箪笥の中から手鏡を取り出す。

「はいはい、鏡をどーぞ」

「ありがとうございますーって、これが私っ⁉」

うん。私だった。

精霊界で変化した時の、この黒髪は若い頃の本田由梨だね。お久しぶり。

ところが胡坐（あぐら）をかくお父様の前にすぽっとハマる、いつもの状態になっております。さすがのヒ

ガシノカミも苦笑していますね。

すみません。お父様がお父様すぎるのです。

「まぁ、先生が幸せならそれでいいと思うけど」

「うう……お恥ずかしい……」

「それよりも俺、先生に謝らないといけないんだ」

さっきまで「俺のことはヒー君って呼んで。往年のアイドルみたいに呼ばないで」などと昭和世代が喜ぶようなことを言っていたヒガシノカミことヒー君は、急にションボリとしている。

どうしたの？　情緒は大丈夫？

追加のお茶と茶まんじゅうが出てきたところで、彼、ヒー君から長いようで短い話を聞く。

転生したら世界崩壊するという、自分が書いた小説の世界だったこと。

神の眷属と一緒に崩壊した世界の魂を守っていたこと。

そして、この世界で間借りをしていること。

「ずっと馴染めなかったんだけど、先生が『世界の理』を変化させたおかげで、ようやく間借りモードから買い取りモードになりつつあるんだ」

「よかったね！」

「でも……申し訳ない！」

急に土下座するヒー君に、思わず体が動いた私をお父様がヨシヨシしてくれる。

大丈夫です。怖くないです。

それよりもお父様からの「うちのユリアに謝るようなことをしたのか」オーラが溢れてヒー君が凍りつつあります。落ち着いてもろて。

「おお、これが噂の『フェルザー家の氷魔』かぁ。ぶぇっくし！」

「うちのお父様が氷でごめんね。温かいお茶を……」

出そうと思ったら、すでに出されていた。セバスさんの手で。

「わぁ、そりゃフェルザー家の当主がいれば『影』もいるよねー」

「うちの過保護たちがごめんね」

「いや、想定内だから」

セバスさんは神出鬼没だからね。さすセバだからしょうがないね。

「それで、何でヒー君は謝っているの？」

「あー、ほら、玄武と朱雀の所で見たやつ。アレさ、もしかしたら俺が連れて来ちゃったかもしれないんだよね」

「え？　アレって『ハイイロ』のこと？」

「こっちだとそう呼ばれてるみたいだな。俺らの……俺の設定だと『灰色の存在』っていうんだよね」

お父様とセバスさんを見ても首を横に振っている。

つまり、ヒー君の呼び方は彼独自のものってことか。

「うーん。でも、私も設定にあるし、もしかしたらヒー君のところのも来たかもしれないけど、この世界にもいるやつだから……」

「え？　先生もそういう設定があったの？　俺が読んだのには書かれて無かったけどなぁ」

「その設定は続きで出す予定だったよ。その前にこっちに来ちゃったから」

「……あー、なんだー、そっかー、よかったー」

　ふにゃっと気が抜けたようにちゃぶ台に頭をぶつけるヒー君。けっこうすごい音がしたけど、おでこ痛くない？

「もしかして、朱雀さんが呪いを受け入れてた理由って……」

「俺のせいだと思う。この世界に来てから神の眷属との繋がりを弱くしてたんだよ。この世界に馴染むためには、自由にやってもらう必要があったからさ」

「ダメだよ！　消えちゃうところだったよ！」

「ご迷惑をおかけしました！　朱雀は俺の奥さんに似てるから、他のよりも自由にさせちゃうというか、なんというか……」

「ヘタレだね」

「ぐはっ」

　なんかもう消えてもいいやみたいな空気を感じていたけど、私と会ったことで「もうちょっと」っていう気持ちになってくれたかな？

　神の眷属たちは、神様……ヒー君の願いを叶えてほしいって言ってたけど。

　すると、私の持っている巾着の中から毛玉が飛び出し、くるりと回ってボフンと煙をあげた。

「やれやれ、まったく困った神であるな！」

「モモンガさん！」

「え、何で⁉　保護者と執事はともかく、毛玉からの小人はどうやって入ってきたんだ⁉」

小人モードのモモンガさんは、さっそくお茶菓子に飛びつくと大きな口を開けてパクついている。

ブレない毛玉だなぁ。

「話はムグムグ聞かせてもらったムググ……其方は神でムゴムゴ」

「モモンガさん、話すか食べるかどっちかにしなさい」

「ムグ！」

セバスさんがミルクポットに入れたお茶をグビッと飲んだモモンガさんは、満足げに息を吐くと私の頭に飛び乗った。

「神なのだから、神の力を使えばいい！」

「はぁ？」

「はぁ？　ではないのだ。朱雀とやらがやっていたであろう。神の力をここに残し、人として自分もこの世界に生まれ変わればいい」

「え、でも、俺は……」

確かに朱雀さんは分体を作らずに移動できていた。それは灰という存在を形代（かたしろ）として、館に残したからだったよね。

「モモンガさん。それをヒー君も出来るってこと？」

「神の眷属ができておるのだから、神ができぬはずがないであろう」

「そ、そうなのかな」

朱雀さんがやっているんだから、私も出来ると思う。それでも自信がないオーラを出しているヒー君。

話を聞いたところ、ヒー君の願いは「人として幸せになること」だと思うんだ。

「ヘタレだね」

「ぐはっ」

きっと、奥様の生まれ変わりだか何かと会えても、好きになってもらえないかもーとか、忘れられているだろーとか、どうでもいいことを考えているに違いない。

愛する人と会えたら、未来の不安だの気持ちだの、どうなるかじゃない！　どうしたら幸せな結末を迎えられるかを考えろ！

まったくヘタレすぎるぞ！　ヒー君！

「お嬢様、それくらいで……」

「主よ、なかなか良い叱咤激励（しったげきれい）であった」

「さすがユリア。強く愛らしい我が天使」

あれ？　私、またなんか声に出しちゃってました？（故意）

色々と言ったけど、私の気持ちは伝えられたと思う。

やがてヒー君は顔を上げて、キラキラとした目で私を見た。

「そうだな！　先生の言うとおりだ！　それに、ここは先生の世界だもんな！」

「どういう意味？」

「先生はどんな仕事(ジャンル)でも、絶対に物語をハッピーエンドにしてたもんな」

そうだよ。それは絶対に決まっていることなのだ。

私は。

私の物語を。

私自身の力で。

最高に幸せな結末(ハッピーエンド)にしてやるんだから！

これからのおはなし

作務衣のもっさりしたお兄さんことヒガシノカミは、しばらくは神様業を続けるそうな。

もうちょっとこの世界に馴染ませないと、各地にある温泉が機能しなくなる可能性があるとのこと。

それだけは！　それだけはご勘弁を！

「ユリアは温泉を好む。なるべく維持する方向で頼む」

「りょーかい！」

今回は外交官として来ているお父様とヒガシノカミは、なんやかんや気が合っているようだ。

お父様曰く「愛するものへの姿勢と心意気に共感した」とのこと。

うん。私も話を聞いていたらちょっとだけ泣いちゃったよ。セバスさんがストックしていたハンカチを使い切ったよ。

最初はヒガシノカミ、ヒー君は私に『世界の理』でなんとかしてもらおうと思っていたみたいだけど、あれを動かすと世界規模で影響があるからね。そうそう使えないのだ。

お父様の命がかかっていた時は、心の赴くままに使ってしまって、今回の『東の国』を含む各所にご迷惑をおかけしていたと思う。

自分が起こした事の尻拭いを自分がしている。まさに自業自得というやつだ。

ユリアーナの「シリアス展開」が「尻拭い展開になっている件」について。シリ繋がりだね！

……なんて、うまくないし笑えない。（当事者として）

貿易に関しては『東の国』の全面開放を目標としているとのこと。その足がかりになるよう進めてほしいと言われた。

そしてヒガシノカミとお父様は関税など諸々の話し合いをして、お互い折り合いをつけたらしい。私は寝ていたから詳細はセバスさんに聞いてください。

何よりも、私には気になっていることがある。

ヒガシノカミが「神から人になる時は挨拶に行く」なんて言ったから、生きているうちにお願いね、と返したら……。

「君の場合、普通の人間の寿命の数倍は生きそうだけど」

と言われて、かなりショックを受けていたりする。

ずっと考えないようにしていた。

成長しない体、いつまでも舌たらずの口調、そして中身がアラサーなのに幼女の思考に引っ張られる心……。


「はぁ……」

「どうなされましたか？」

「なんでもないです」

私のため息に、マーサが気遣って新しいお茶を淹れてくれた。やさしい。

「お疲れなのですね。お昼寝をされますか？」

「んーん、おふろにはいる」

「かしこまりました」

ヒガシノカミとの謁見から一週間後、私はお屋敷でのんびりと過ごしていた。

お父様とセバスさん、そしてオルフェウス君とティアは『東の国』に残って会議を続けている。話し合いは終わっているけど、書類のやり取りに時間がかかっているのだそう。

私はショックだったのと旅の疲れからか、熱が出たので先に帰されてしまったのだ。

いっぱい寝たら翌日には熱も下がって体調は回復したのに、そのままお屋敷で待機するよう厳命されてしまった。無念なり。

「ご準備しております。しばらくお待ちください」

「ありがとう」

「お熱はないようですが、長風呂は避けてくださいませ」

「あい！」

とはいえ、マーサが近くに控えてくれているから、長風呂はできないんだけどね。

「はぁ……」

お風呂に入ると気持ちがいい。でも、ちょっと落ち込みのため息を吐いてしまう私。考えてもしようがないんだけどさ。

寿命があろうがなかろうが、人間死ぬ時は死ぬのだ。しょうがないのだ。今はちょっと……考えるのを後回しにさせてください。

それにね。あの謁見の時……。

「ずっと一緒だと言っただろう。ユリア、私はお前から離れない」

とか！　言われちゃったからね！

お父様の甘々な言葉に、不安よりも嬉し恥ずかしパワーがすごくてね！

もしかしたら体調不良じゃなくて、このせいで熱が出たのでは？？？


私の成長についてもそうだけど、もう一つ気になることがある。

朱雀さんから（白虎さん経由で）言われた「人が揃っていない」ことについて、イザベラちゃんの状態を「視る」必要がある。

ちょっと頼みづらいけれど、お師匠様にイザベラちゃんを調べてもらおうと思っている。

この世界の人たちは、大なり小なり魔力を持っている。だから、個人の魔力を見分ける変態的な……素晴らしいスキルを持つお師匠様になら、何か分かるかもしれないと思ったのだ。

ちなみに、なぜ頼みづらいのかというと、ヒガシノカミと会話していた時にお師匠様を呼べばよかったかもしれないとお屋敷に戻った後に気づいたからだ。

私の姿が前の世界の由梨になっていたし、あの場所に呼べるかは微妙だったかもしれない。でも、試すくらいはすればよかったよね。

お師匠様、ヒガシノカミが考案した『符』のシステムとかに興味津々だったもんなぁ。

ん？　そういえば……あの時の私の姿、セバスさんも見ていたよね？　驚かれたりとかの反応がなかった気がする……。まさか、知ってた？　知ってたからなの？

とにもかくにも。

考えることが多すぎるし、これからどうすれば良いのかを整理したい。

できれば、お屋敷でのんびりしながら……なんてことは無理だよね。


「しばらく本邸で過ごしなさい。ビアン国から一時的に帰宅するように」

「ベルとうさま、なぜですか？」

お風呂の後、『東の国』にいたはずのお父様が精霊の移動でお屋敷に戻ってきた。

というよりも私の部屋に現れた。

マーサが「いきなり女の子の部屋に入ってくるなんて！」とプリプリ怒っていたけど、緊急だったようなので許してあげてね。

「ユリアについての方針を伝えていたのだが、アーサーが抑えきれなくなったようだ」

「ほうしん？」

「婚約者のことだ」

こんなお子様な私に婚約者!?　なんて、貴族ではよくある話みたい。

お父様は高位貴族だし、王様のおぼえもめでたい。

お兄様は学園に通っているので、国の決まりとして結婚や婚約はできないからね。打診は来るみたいだけど、返事はしなくていいんだってさ。

つまり、だ。

「わたしも、がくえんに？」

「いや、それはまだ早い。小さなユリアを獣たちの中へ入れたら何が起こるか……」

お父様落ち着いてください。その獣のいる学園にお兄様もいらっしゃるのですよ。

「しばらく、おやしきでくらす？」

「そうだ。そして社交の場に出る必要がある。もちろん、私も一緒だ」

「しゃこう……」

忘れそうになっていたけど私は貴族の娘で、幼いけれど社交界ではちょっとした有名人なのだ。ビアン国に遊学する時、パレードをしちゃうくらいには……。

考えなきゃいけないことは、たくさんある。

でも、とりあえずは目の前の問題から片付けるしかない。

社交界とは一体どんな世界なのかな。前世の記憶からだと欲望と陰謀がどうたらというイメージがあるけど。

「ユリア、私が一緒にいる」

うん。

お父様が一緒にいるから、何があっても大丈夫だよね！

だがしかし、そんな楽観的に考えていた私が、お屋敷の中で起きるアレコレを「ひとりで」こなす事になるとは。

この時、誰も思わなかったのである。

つづく!!

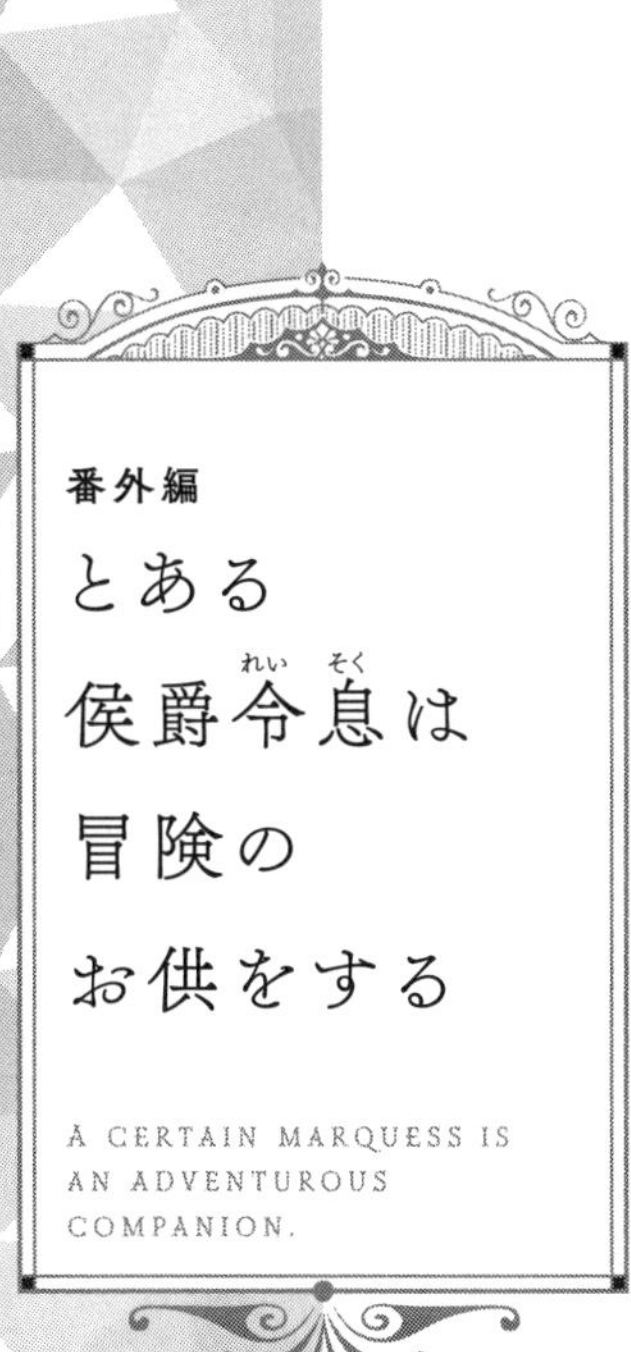

番外編

とある侯爵令息は冒険のお供をする

A CERTAIN MARQUESS IS AN ADVENTUROUS COMPANION.

私の名は、ヨハン・フェルザー。

フェルザー侯爵家の嫡男であり、現在は王立学園に通う学生だ。

現在、父上と天使な妹のユリアーナは旅に出ている。

私もついていきたいという思いもあるが、今は学生の身。さらにフェルザー家の次期当主としての仕事もあるから断念することにした。

父上は精霊を使って移動し、王宮での執務や本邸で執務を完璧にこなしている。その上でユリアーナの旅に同行し、今回は外交まで行っているのだ。さすが父上、私の理想であり憧れの存在である。私も父上のようになるため、日々精進しようと思う。


現在の私は学園のカフェテリアで昼食をとっている。

いつもなら総会室で王太子殿下と共にいただいているのだが最近は色ボケ……ではなく、同じクラスのイザベラ嬢と総会の仕事をされているのだ。

私の前には宮廷魔法使いであるペンドラゴン殿の息子、鳥の彼が座っている。彼は食が細いためサラダの皿しか置かれていない。

それだけで足りるのかと聞けば、澄ました顔で菓子を食べるから大丈夫だと言っていたから、追加注文したステーキを譲ってやった。

置かれたステーキ肉を渋々と切りながら、鳥の彼が口を開く。

「ヨハン様、侯爵閣下と父が演奏をしたというのは本当ですか？」

「ああ。素晴らしい演奏だった」

体調を崩したため本邸で静養していたユリアーナが、茶の席で父上におねだりをしたのがきっかけだ。たまたま居合わせた私も、父とペンドラゴン殿の演奏を聴く事ができた。

さすが父上だ。私もフェルザー家次期当主として、リュートの演奏技術を強化せねばならんと決意した出来事だった。

「父はともかく、侯爵閣下に演奏していただけるのは滅多にないことでしょう？　羨ましいです」

「そうか？　ユリアーナが願えば演奏すると思うぞ」

「なるほど。その手がありましたか」

言葉にすると、父上がユリアーナの願いをすべて叶えるということになってしまう。間違いではないだろうが、当主として困ることに……いや、あの父上のことだから問題ないだろうな。

それに、ユリアーナに頼まれれば何でもするのは私も同じだ。

「天使の願いならば、誰しも耳を傾けるだろう」

「はぁ……姫君の愛らしさについては同意しますけど」

鳥の彼も、妹のユリアーナを可愛がっている……というよりも崇拝している。

確かに妹は天使だし、愛らしさを凝縮したような生き物だ。崇拝する気持ちも分かるが……。

しばらく穏やかな昼食の時間を過ごしていると、外がやけに騒がしくなってきた。

「今度は何だ」

「何でしょうね」

次の瞬間、大きな音をたてて扉が開かれる。この学園のドアの耐久性について考えながら、私は騒音の原因に目を向けた。

「王太子殿下、ご機嫌麗しゅう」

「機嫌が麗しいわけがあるか！　ヨハン！　話がある！」

「……御意」

やれやれとため息を吐いていると、殿下の後ろに申し訳なさそうにしているイザベラ嬢がいる。

まったく、この御方は……。

「同席してほしいのなら、事前に言ってください。それと、カフェテリアのドアの修理代は殿下宛てに請求します」

「な、なんだと⁉」

さて、今日はどんな無理難題を言われるのか……困った御方だ。

私たちの学園は単位制で、家業などを手伝っている生徒も多いため、授業に出席しない時は課題などで単位を取得することも可能だ。

王太子殿下は気まぐれな御方で、思いついたら即実行という王族にありがちな行動力を遺憾なく発揮されることがある。単位制なのはありがたい。

総会室に呼び出された私と鳥の彼に、イザベラ嬢が申し訳なさそうに頭を下げた。

「申し訳ございません。ヨハン様」

「気にしなくていい。殿下のわがままはいつものことだ」

「なんだと！」

わがままというか、気まぐれというか、やんちゃというか……。

鳥の彼が気をつかって茶を用意しているのを横目で確認し、私はソファーに座っている王太子殿下に視線を戻す。

「それで、本日は何を」

「おお、そうだそうだ。ヨハン、今日は帽子をかぶっていないのか？」

「アレは屋敷におりますが」

帽子ではない。アレ……黄金狼の子に懐かれ、頭に乗せたまま学園に通っていた時期があっただけだ。

何度おろしても何度もよじ登ってくるから面倒になり、そのまま生活をしていたのだが……たまたま私の様子を見ていた父上が威圧を発し、あっさりと言うことを聞くようになったのが解せぬ。

「報告にもあったけど、ヨハンは冒険をしたそうじゃないか！」

「冒険ではなく、依頼されて仕事をしただけです」

「ずるい！　ずるいぞ！」

「はぁ？」

いかん。思わず口調が荒くなってしまった。

王太子殿下は、たまに突拍子もないことを言うが、なぜ私が依頼をこなすと「ずるい」になるのだろうか。

　私の疑問を理解したイザベラ嬢が、困った表情で説明をする。

「すみません。うちの商会で取引しているのを、殿下が知りまして……」

「ああ、アレか。殿下ならば嗅(か)ぎつけてくるだろうから気にしなくていい」

　黄金狼の毛は、その名の通り金(きん)になる。

　自分の領域や住処じゃないと、なかなか毛を落とさない種族だと聞いている。しかしなぜか、懐いた子が私の部屋で大量に金色の毛を落とすようになった。

「希少種だと聞いたよ。保護は必要だし、学園に来ても誰も生き物だとは思わず、新しいフェルザー家のファッションだと思われていたから、その件は別にいいんだ」

「殿下の広い御心に感謝いたします」

「そうじゃなくて！　ずるいって言ってるでしょ！　そこの鳥の彼とだけ一緒に冒険するなんて、ずるいじゃないか！」

「はぁ？」

　おっと、本日二度目が出てしまったが、私は悪くないと思う。

「何度も言いますが、冒険ではなく仕事です」

「聞いているぞ！　君は冒険者(ハンター)ギルドで登録していると！」

「ええ、父と同じく冒険者としての名もありますが。それが何か？」

　学園では冒険者として仕事をすることを禁止していない。むしろ何かしらの仕事を持つことは推奨されているのだ。

学問だけではなく、どのような仕事だとしても社会に出ることで多くの経験をするのは、生徒の成長につながると学園は考えているようだ。

ただ、仕事先が学園から認可されていないと生徒は働けない。

冒険者としての活動をする場合は、学園での試験に合格したら登録することができる。

なるほど理解した。

つまり王太子殿下が望んでおられるのは……。

「私は今日、冒険者の登録をするぞー！　ヨハン！」

拳を高く振り上げた殿下が宣言しているが、なぜそれを私に言う必要があるのだろうか。

「学園から許可をもらえたが、そのギルドとやらがどこにあるのか、どうやって登録をすればいいのか分からぬ。私と共に来い！　ヨハン！」

いや、最近流行りの物語にあった「仲間にしてやる盗賊団の頭領」のようなことを言われても……。

物語の本についてはユリアーナが好んでいると聞いて読んでみたのだが、王太子殿下もご存じのようだな。

仲間を助ける場面は感動するのだが、なぜ盗賊なのかが理解できない。騎士団や傭兵団ではダメなのだろうか。

「殿下、王宮の許可は得られましたか？」

「登録するだけなら良いと言われた！」

「なるほど」

「いざ行かん！　冒険の旅へ！」

冒険といっても王都にある冒険者ギルドで登録するだけなのだが……。

それでも王太子殿下は嬉しそうだ。

学園を卒業したら、このような自由も許されなくなる。王宮から出ることも少なくなるだろう。

ならば今のうちに自由を満喫させてやろう……と思ったが、国王陛下もしょっちゅう父上に会いに来ているし、しょっちゅう外出をしているらしい。わがままを言って料理のニガウリを残したりもしている。そう考えると国王陛下はわりと自由だな？

ちなみにその血を色濃く受け継いだ息子も、同じくニガウリ嫌いというのは国家機密らしい。

どうしたもんかと考えていると、鳥の彼が「いいじゃないですか。王都なら安全な道を通れますし」などと言っている。

登録するくらいならいいかと王太子殿下を見れば、なぜか床に崩れ落ちて号泣していた。

「……殿下、急にどうしたのですか？」

「申し訳ございません。あの、私が冒険者の登録していると知って、このように……」

大きな商会のご息女であり、冒険者としても活躍しているイザベラ嬢というは、ユリアーナの護衛から聞いている。

まさか、殿下は知らなかったのか？

「なぜだ……なぜ私だけ仲間はずれなんだ……伝説の偉大なる山脈を越えて、大盗賊の王になるのだと誓ったのに……」

「そのような誓いの記憶はございません」

「ヨハンは冷たい……」

なぜ我が国の王子が盗賊の王になるのか分からん。このままいけば国の王になるのだから、それでいいじゃないか。

私の言いたいことが分かっているらしく、王太子殿下は「ヨハンは夢がないな」と言って立ち上がると、窓の外を見て微笑む。

「なぁ、ヨハン。私には夢がある」

「夢、ですか」

「国民の皆を笑顔にすることだ」

「それは……」

「無理なのは分かっている。だが、夢は諦めるために見るものではないだろう？」

王族特有のオレンジがかった金色の髪を揺らし、王太子殿下は私を真っ直ぐに見る。

この御方は昔からそうだ。

誰であろうと、真っ直ぐに見てから言葉を紡ぐ。

「だからな、ヨハン。そのためにも私は学園にいるうちに、誰よりも多くを学ぶ必要があるのだ」

「なるほど。だから冒険者になると？」

「ヨハンのように偽名も使いたい」

「……さようで」

父上の真似をして名前を変えたのが、そんなに面白いか。

王太子殿下は、私をからかうことを生きがいにしているようなところがあるからな。もう甘い顔はしない……と、毎回思う。

瓜二つと言われる国王陛下を、父上はどのように対応しているのだろう。お時間のある時にでも聞いてみよう。


結局、王太子殿下の「お忍び」は、王都に護衛を配置することで実現することとなった。

私には魔法があるし、鳥の彼とイザベラ嬢は体術で護衛ができる。過剰じゃないかと思うが、何かあった時にフェルザー家の責任などと言われたら面倒だ。

王宮の空気は綺麗になったが、まだゴミが残っている。父上からも油断するなと言われているからな。

王太子殿下は楽しそうに歩いているが、私には分かる。

これは、やる気だな、と。

「さぁ、行くぞ」

「……はぁ」

「仕方がないですね」

「え？　何がですの？」

私と鳥の彼は諦めて、イザベラ嬢は事態を把握していないようだ。

それでも魔力を巡らせて身体強化した王太子殿下は、イザベラ嬢を抱え上げたかと思うと、建物の壁を駆け足で登っていく。

鳥になった彼が肩に乗ったのを確認し、私は魔力をまとって王太子殿下を追いかける。そして仕方なく土埃（つちぼこり）を巻き上げて追っ手の目をつぶしておいた。

「冒険だな！　ヨハン！」

「これは冒険というよりも逃亡ですね」

殿下が抱き上げているイザベラ嬢は、顔を真っ赤にして悲鳴も出ないほど驚いているようだ。

「それで、どこに行きますか？」

「王都から出ると確実に怒られるからな。屋台で買い食いしてから帰るぞ」

「冒険者としての登録はしないのですか？」

「私は大盗賊の王になるからな」

そう言った王太子殿下の……彼の横顔からは、何の感情も読み取れなかった。

だが、私は知っている。

「ならば私は、大盗賊の王の残したニガウリを食べてあげますよ」

「うむ！　頼むぞ！」

ほら、これを言えば機嫌が良くなる。

昔からの付き合いだ。これからもニガウリを食べてやろう。

その代わり、殿下は殿下自身の夢を叶えるといい。

追っ手から逃れたところで、私たちは屋台の並ぶ通りを歩くことにした。

「イザベラ嬢。これは何だ？」

「これは鉄板で薄く焼いた生地に、蜜と果物を巻いて食べるのです」

「二人で半分ずつ食べよう。ほら、あーん」

「お、お待ちください。このような公衆の場で……あ、あーん」

「おいしいかい？」

「は、はい！」

頬を染めながら微笑むイザベラ嬢に、王太子殿下は照れたように笑う。

さて。

次はどのようなことを言い訳に、イザベラ嬢を誘うのやら。

あとがき

お久しぶりです。もちだもちこです。

皆様お元気でお過ごしでしたか？

もちださんは健康維持を目標に毎日を精一杯生きております。栄養のある食事、適度な運動、上質な睡眠……大事ですね。

『氷の侯爵様に甘やかされたいっ！』も、とうとう6巻となりました。

そしてなんと！　コミカライズからグッズ化、そしてボイスドラマ化もしていただき、人生本当に何が起こるのか分からないものだなぁと思いました。しみじみと。

まわりの人たちにウキウキと報告したり、悶えたり、叫んだりするかもしれません。

あまり取り乱さないように気をつけたいです。（希望）

そして、さらにさらに！　7巻も出ますよ！

このあとがきを書いている今は、6巻の原稿が終わって魂が抜けているところです。次へ進むための準備運動をしながら次巻も楽しく「お屋敷ファンタジー」を書けたらいいなと思っております。乞うご期待！　なのです！


さて、もちださんの近況ですが……。

氷の侯爵様の続きだったり、漫画原作だったり、別作品の小説を書いたり忙しい日々を送っております。

どこかで見かけたら「あらあらもちださんったら、こんなものまで……」などとニヨニヨしていただけたら嬉しいです。ニヨニヨ。

誰もが自分なんて所詮モブなんだろうなと思うこともあります。でも、自分の人生くらいは自分を主役にして楽しみたいとも思います。

ぜひ皆様も楽しんで、人生を謳歌(おうか)してくださいませ。

いつも美しく麗しいイラストを描いてくださる双葉はづき様、脚本までお世話になっている編集A様、出版するにあたってご協力いただいた関係者の方々、そして応援してくれる家族たち……。

いつもお世話になっております！　今後もよろしくお願いいたします！

そして何よりも読んでくださる皆様に、たくさんの「ありがとう」を。

２０２４年６月吉日　もちだもちこ

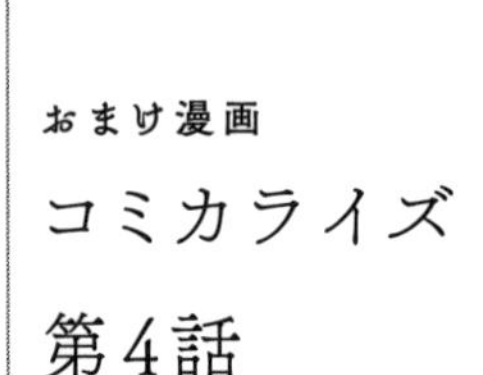

おまけ漫画

コミカライズ
第4話

漫画：香守衿花

原作：もちだもちこ

キャラクター原案：双葉はづき

私はお父様の子ではない

だから間違えても

お父様なんて呼ばないようにしないとね

第4話

今日は
学園が休みで
お兄様が帰って
きたので
お庭でお茶を
しているよ
げんきです
おにいしゃま
しかし
父上は……
珍しく氷以外の
魔法を使った
のか？
屋敷が
焦げているが……
そう
昨晩のすごい雷は
お父様の魔法
だったらしい
ドオオオオオンッ
ビクッ
びりびり
ってまほう

雷か？さすがは父上だ

文官でありながら高い魔力もお持ちである

若様…
その 実は…
お嬢様が
お父上を
『旦那様』と
呼ばれまして
何？
父上を旦那様と
呼んだのか？
ユリアーナ
なぜ父上と
呼ばない？
あれ？
よんでも
いいの？
ぎょっ
セバス！
申しわけ
ございません！
まさかお嬢様が
そのようなことを…!!
んん？
まずかった？
いや正直
その呼び方は
どうだろうって
思ってはいたんだよ？
でもみんなそう
呼んでいるし
それでいいかなって…

幼いとはいえ
貴族の女性が
男性に向かって
『旦那様』などと…
ごほん
妻が夫に
対するような
呼び方は
よろしくない
夫⁉
んぐっ
え⁉
てことは
もしかして私
お父様のことを
「ダーリン♡」
みたいに呼んだって
ことになっちゃうの⁉
それはびっくりして
魔法で雷を落とし
ちゃっても
おかしくないわ…！
恥ずかしい
……っ‼
ごめしゃい

ん゛んっ
今後気を付ければいいだろう
父上かお父様と呼ぶのだ
あい
本人からOKもらえるといいんだけど…
大丈夫だ
さぁこれも食べたほうがいい
んぐ？
よし それでいい
お菓子を食べただけで褒められるとは
いや これじゃかえってただのダメ人間になりそう！

ラン
ベルト
おとしゃま
……それはなんだ？
？
あう……
ぱあっ
ユリアーナお嬢様は旦那様を『正しく』呼びたいようです
そうなんです！
どやー!!
ランベウと
しゃま

ぐぬぬ…
同じ音が重なると
噛む確率が
爆上がり
なんだよなぁ
…ベルと
呼べばいい
ベル
とうしゃま？
…そうだ
それでいい
ベルとうしゃま！
いってらっしゃいませ！

よし、行くか

キイッ

いやいやいや
いやいや

旦那様
旦那様
お嬢様
下ろしてください

そんな
こんなで
意外と
お茶目な
お父様でした

セバスさん
いつもお手数
おかけします

ならば…
うぉーらー!
バしゃっ
つめたっ!?
ぽた
ぽた
ゴラァ
何すんだ
嬢ちゃん!!

べっしょ!!…
ふおお⁉
やせた⁉
この辺
痩せてねぇよ
濡れたんだ!
ごめしゃい!
花壇に水を
まこうと
思っただけ
なんだよ〜っ
水もしたたる
イイ男だろ?
おししょ
いいおとこー

ははん
惚れんなよ？
はい！
おししょ！
そこは
しっかり
返事するなよ…
お嬢様
ペンドラゴン様
お茶のご用意が
できました
おっ
今日の茶菓子は
なんだろうなぁ
ふわん
あれ？
ふわふわ！
おししょ！
ふわわ～
羽根が
元に戻ってる！
いつの間に
乾かしたんだろう？
魔法？
魔法じゃ
ねぇよ
うちの奥さんの
羽根は特別なんだ
おくしゃ!?
剥いたの!?

うちの奥さんは
獣人で神鳥と
呼ばれる一族なんだ
このローブは
数年に一度の
換毛期に作った
いたくない?
もちろんだ
自然と抜ける
羽毛だけもらった
…っていうか
押しつけられた
神鳥の羽根は
高い防御力が
あるからな
お師匠様
優しい目で
奥さんのこと
話すんだなぁ…
きっとすごく
愛しているんだ
どうした?
ニコ
いえ
ニコ
おししょは
ベルとうしゃまと
なかよし?

そうだな
仲良しなのかは
わからねぇけど
俺は親友だと
思っている
ふむ
男同士の友情は
よきものだね
聞いたところ
お師匠様はお父様と
学生時代を共に
過ごしたらしい
同級生には
王様もいたとか
お父様の友達って
お師匠様くらい
だよなぁ…
フッ
どうした
嬢ちゃん？
えっ
ビクッ
…思い出した

ランベルトが
冒険者になった
ユリアーナを
不義の子だと
切り捨てるシーン
…あの挿絵
？
お師匠様に
そっくりな男が
描かれていた
だけど
大きく違うのは
あの男の羽根は
血に染まっていた――
おししょ
すぐ
いこう
あ？
おししょ
おくさん
きけん

すぐいく！いそぐ！
あぁ？どういうことだよ？
考えた設定と目の前のお師匠様が違い過ぎて気が付かなかった
あのイラストで悪役として登場する彼に
愛するものという存在はなかったはず
なのだ
おししょおくしゃ とり…とりしゃ！
そうだぞぉ俺の奥さんは鳥の姿にもなれるんだ
真っ白で綺麗でなぁ
あ――っ！
もうそうじゃなくって！
どんな設定を作ったのか…
うまく思い出せないけど不安でたまらない
うまく伝わらない
ぷる
早く伝えないといけないのに…
ぷる

ぽろ
うぅ…
ぽろ
ぎょっ
どうした嬢ちゃん!?
いやなのとりしゃあぶにゃいのぉ…
わぁーっ!?
待てっ泣くな嬢ちゃん!!
ランベルトに殺されるから!!
ふえ
ふにゃあああああ!!
うびゃあああああっ!!
あかん詰んだ

幼児特有の
「えずき泣きモード」に入ってしもうた
ユリアーナの体はちょっとしたことでぐずぐずになってしまうのだ
お師匠様の奥さんの無事を確認したいだけなのに
ああもうどうしたらー!!
ふにゃっ!?
ユリアーナ
なぜ泣いている?

ベル
ふにゃあああああ!!
がばっ
としゃまぁ…
じと…
……ペンドラゴン
悪ぃ！
俺の奥さんの
話をしたら
急に泣き出し
ちまって…
二度はない
わかってる
しかし
これもいい
わかる

ベルとうしゃま
おししょに
いいいたい
何をだ?
ユリアーナの
精神が不安定に
なっているからか
うまく言葉が
出せない
どうしよう…
おししょの
とりしゃ
いやなの
だから
みてみて
ぐぬぬ
語彙力!
ふむ
ペンドラゴンの
奥方について
嫌な予感がするから
様子を見て
きてほしいと
言いたいのか?
そうでしゅ!
え
俺の奥さんが?
つかお前
よく嬢ちゃんの
言いたいことを
理解できたな!?
ほんとそれ
お父様は
特殊能力でも
持っているのか

ユリアーナが
怯えているのが
わかる
奥方のことで
何かを訴えようと
している
お
おう
そうか？
とりあえず
連絡をとってみるわ
スッ
えっ
何それ
スマホ？
スマホなの？
チッ
つながらねぇ
息子に
かけてみるか
…父さん？
おう
奥さんと
つながらない
んだけど
今どこに
いるのか
わかるか？
母さんに何か
ありましたか？
俺にもよく
わからねぇが
ランベルトのとこの
嬢ちゃんが
気にしててなぁ
ヨハンの
妹君が？

ペンドラゴンの息子は
ヨハンと同じ
学園に通っている

なるほどー
それにしても
あの道具って…

あれは
ペンドラゴン
独自の魔道具だ

私含めかぎられた
人間しか
持っていいない

なるほどー…
っていうか
お父様本当に
特殊能力が
あるんじゃ
ないの？

ちょっと
席はずさせて
もらうわー

次巻予告
ユリアーニャが
終わったと思ったら…
幼女、
今度はお屋敷の
女主人
に!?

2024年発売予定！

氷の侯爵様に甘やかされたいっ！ 7

シリアス展開しかない幼女に転生してしまった私の奮闘記

もちだもちこ
MOCHIDAMOCHIKO

illustration 双葉はづき
FUTABA HAZUKI

氷の侯爵様に甘やかされたいっ！6
～シリアス展開しかない幼女に転生してしまった私の奮闘記～

2024年7月1日　第1刷発行

著　者　もちだもちこ

編集協力　株式会社MARCOT

発行者　本田武市

発行所　TOブックス
〒150-0002
東京都渋谷区渋谷三丁目1番1号　PMO渋谷Ⅱ　11階
TEL 0120-933-772（営業フリーダイヤル）
FAX 050-3156-0508

印刷・製本　中央精版印刷株式会社

ISBN978-4-86794-210-9